日本の盲点

開沼 博
Kainuma Hiroshi

PHP新書

まえがき

すぐには理解し難い事件を目にしたとき、私たちはその具体的事実の背後にあるより大きな文脈、抽象的な問題の存在を感じながら、その理解を進めようとする。

たとえば二〇二一年がはじまって早々、私たちは米国の中心が異様な風貌をした人びとに乗っ取られる光景を目にすることになった。

米国・トランプ前大統領の退任を前に、バイデン新大統領が選出された選挙に不正があったなどと主張する人びとのデモ隊が米連邦議会議事堂に乱入し、一時議場などを占拠した事件が世界的に報じられたのが一月六日のこと。デモ隊のなかには〝リベラル系のハリウッド俳優や政府高官、民主党議員が人身売買に関わっている〟などの陰謀論をSNSなどで拡散する集団「Qアノン」の信奉者が多数含まれていたといわれる。暴動は鎮圧されたものの、この事態を受け、SNS運営会社はQアノン関連の噂を拡散し続ける多数のアカウントを凍結し発信を制御するに至った。

視覚的なインパクトの大きさを含めて歴史に残るであろうこの一連の事件を前に、私たちは、突如現れた陰謀論者の奇妙さと勢い、民主主義を揺るがす暴力の脅威、現代メディアと言論の自由・抑制との葛藤、国家が持つ機能の退潮とGAFAに象徴されるグローバル企業が用意するプラットフォームの役割の肥大化……、そういった現代社会のいたるところに垣間見える問題が、ここにもまた存在するんだという感覚を得ながら、事態を咀嚼しようとするだろう。

これに限らず、そもそも私たちにとって、大方の事件は、行ったこともない場所で、知り合いでもない人びとが、メディアの向こう側で起こしている事件にすぎない。つまり、本来的には何ら自分とは関係のない、〝知ったこっちゃない話〟でしかない。それにもかかわらず、そこに自分が生きる社会との接点を見出そうとするし、その力を私たちは常に無意識のうちに鍛えようとしている。「社会学的想像力」にも通じるこの力は、ことの要諦を見抜く私たちの視点を鍛えてくれるし、現に起こっている混乱を収め、未来の失敗を避けるのにも役立つ。人生を豊かにもしてくれる。ところが、かつて社会を健全に保ち、動かすために不可欠だったその力が機能不全に陥っているようにも見える。まさに、年初の米国の事件の背景にもその機能不全が垣間見える。どういうことか。

私たちには自然に身につけるべき視点のズラし方、時空間の幅のなかに身を置き直し視野を拡げる方法がある。ところが、ことの多様な側面を見、歴史上の自らの立ち位置を感じるには、社会の複雑性・不確実性が高まりすぎている。その結果、目の前には私たちの想定を超える事態が頻発(ひんぱつ)するようになり、(法学者、キャス・サンスティーンが『最悪のシナリオ』のなかで提示した)「過剰反応か無視か」という両極端な行動が喚起され続けることになる。過剰反応はさらなる過剰反応を呼び、収拾がつかなくなる。

私たちは、現代社会に存在する盲点を感じながら、視点をずらし、視野を拡げるトレーニングを続け、ことの根底にあるものを見通す力を鍛えなければならない。

たとえば、米連邦議会議事堂乱入・選挙事件を前に想起すべきは二〇一一年、中東諸国で連鎖した「アラブの春」と呼ばれた民主化運動だった。

長年の圧政に苦しむ民衆がSNSを通じてつながり合い「革命」に至った、とあのときは賞賛された。これが世界に伝播して日本の反原発デモをはじめとする新たな社会変革のうねりをつくった、などとも評価された。

しかし、当然ではあるが、この〝新たなうねり〟は異なる立場からも利用できる。IS(イスラム国)が登場すれば人材獲得やプロパガンダに不可欠な道具とし、トランプは北朝鮮との舌戦に利用して戦争に至らんばかりの緊張感を高めた。

振り返ってみれば、当初からそれは暴力性とともにあったが、初期にその危険性を指摘する声は少なかった。良き西洋文明・民主主義の啓蒙のためだけに使われるわけなどないことはわかっていたはずだ。中東を中心に、今回の事態をSNS上で「#AmericanSpring」（アメリカの春）というハッシュタグとともに揶揄（やゆ）する動きも起きた。アラブの春以後、独裁者が去った国の多くが新たな政治的混乱を抱え、以前よりも経済・社会状況が悪化したと実感する住民も存在する。「文明の先端」の野蛮が露わになるなかで、「アラブの春」などと西洋中心主義の神輿（みこし）に自らが乗せられた過去を振り返り、独善的な理想の実験場にされ引っ掻き回されたという思いが生まれるのも当然だ。トランプのアカウントをいまさら止めるならば、なぜＩＳの指導者らの発信は野放しにされたのか。この十年の変化に詰まった矛盾はいまこそ顧みられるべきだ。

大事なのは盲点をいかに見て見ぬ振りをしないかということに他ならない。

本書は日本の盲点をあぶり出すことを目的にしている。とはいえ、その全てを網羅して書ききることは紙幅の関係上、できない。だが、この十年程度の時間を振り返る上で必要なテーマのハイライトにはなる。月刊誌『Ｖｏｉｃｅ』（ＰＨＰ研究所）での連載「ニッポン新潮流・現代社会」に二〇一七年一月号から二〇二一年三月号まで寄稿した、五一本の論考をもとにしたそれぞれのトピックは多岐に渡りバラバラにも見えるだろう。ただ、それぞれは相互に通じ合い、また本書に収めきれなかったテーマに向き合う際にも参考になると感じてもらえるはずだ。

どの論考をどの順番で読んでもらっても構わない。ただ、全体を読み通すことで、日本の根底に流れる文脈をつかむことができるだろう。それをつかみやすいよう、五つの視点で分類をした。「概念」→「社会」→「メディア」→「政治」、そしてここ十年を俯瞰する上で示唆に富む事例として「3・11」と積み上げられていく議論を通読するのは、多くの人にとっては、どっと疲れるものかもしれない。ただ、1カ月に1冊も本を全く読まない人が日本社会の半数を占めるようになったと各種調査が示すような現代において、その経験は確実に日本の盲点を見抜く力を養うことに繋がるにちがいない。

本書は私自身にとってははじめての新書だ。製作に四年を超える時間をかけてはいるが、可能な限り多くの人に気軽に手にとってもらえればと思う。

日本の盲点

目次

第一章　概念の盲点

第二章　社会の盲点

第三章　メディアが生んだ盲点、メディア自体の盲点

第四章　政治の盲点

第五章　3・11の盲点

第一章

概念の盲点

かつて戊辰戦争で落城した鶴ケ城（福島県会津若松市）
写真提供：時事通信フォト／朝日航洋

「愛と正義」

二〇一七年一月号

「優生思想」の衝撃

「われらは愛と正義を否定する」というテーゼを打ち出したのは、日本の障害者運動の草分け的存在「青い芝の会」だった。脳性麻痺者の団体である青い芝の会は、障害者の権利を求め、駅にスロープを造れと踏み切りに寝転び、車椅子利用者の乗車拒否をしたバス会社があれば、その会社のバスにメンバーが乗り込んで占拠し運行不能にするなど、「過激」な行動を繰り広げ、賛否両論集めつつも、福祉行政の在り方に大きな影響を与えてきた。

彼らがなぜ「愛と正義を否定する」に至ったのか、ここでは長くなるのでその詳細は述べない。

ただ、近年、現代社会の矛盾が、まさに彼らが否定した、多くの人が疑問視せず思考停止をしている「愛と正義」の間隙を縫って滲(にじ)み出る姿がさまざまに見えるようにも思う。

たとえば、彼らが「愛と正義」とともに否定した「優生思想」に関わる二つの動きがある。

一つは、二〇一六年七月に起きた相模原障害者施設殺傷事件。一九名もの人を殺害した犯人は、自分の行ないを「安楽死」と正当化した。障害者がいれば周りも大変で、本人も不幸だという犯行動機を犯人は供述したといわれる。戦後最大の殺人事件であると同時に、ヒトラーにも影響を受けたというその「優生思想」は社会に衝撃を与え、メディアと世間では連日強い批判の声が飛び交った。

一方、同じ世間では妊婦に「新型出生前診断（ＮＩＰＴ）」が広く行なわれるようになりつつあり、先天性疾患などがわかった際、九六・五％の親が中絶を選択することがわかっている。この新型出生前診断は、これまでの死産などのリスクがある羊水検査などと違い、妊婦の血液検査のみで九九％正確な診断が可能といわれる、相対的に「やりやすい検査」だ。

なぜ親はこの検査をし、限りなく一〇〇％に近い親が胎児の命を絶つ決断に至るのか。当然、その事情は個々の事例ごとに複雑で、それぞれが苦渋の決断と心的外傷とを抱えているであろうことは想像に難くない。ただ、「自分には大変で育てきれない」「子どもと幸せな関係を築く自信がない」といった「愛と正義」がそこに存在するのは確かであり、それがどれほど「優生思想に染まった人間の愛と正義」と接近していないと言い切れるだろうか。

「知る義務」の用意を

むろん、その個々人の「愛と正義」をただ糾弾(きゅうだん)することには何の意味もない。若年層の貧困、女性の就業率の上昇とキャリア形成の困難、晩婚化等々、社会的な問題のなかで、障害のある子を背負いきれないと感じたうえでの個々人の決断がなされる。だから、この課題の解決のためには、そこに存在する社会の矛盾を解消するというシンプルな作業を愚直に進めるしかない。

同時に、このような「知ることができてしまう社会」が進むがゆえに生じる問題は、今後、より多様な形で社会の矛盾を可視化していくだろう。テクノロジーの発達と「知る権利」拡張のなかで、新型出生前診断のような自然科学的なテーマのみならず、社会科学的なテーマにおいても、これまでは多くの人が認知しようがなかった不安・不満が浮き彫りになる。対抗するには、「知ることができてしまった」際に、状況を冷静に広い視野で受け止めるための前提知識や、議論の蓄積を得ることができるよう教育・学びの場を設計し耐性をつける、いわば「知る義務」の用意をする必要がある。

たとえば、厚労省の調査によれば、ダウン症をもつ人たちは「毎日幸せか」という問いに七一・四％が、「仕事をして満足か」という問いに六六・〇％が「はい」と答えるという。ここに表れる幸福度は、おそらく多くの人の想定よりも、高い。そして、障害の有無という生得的なことよりも、障害のない人同様に環境によって幸福度が変化する余地が多いこともうかがえる。そういう前提を知り、社会で共有しているだけで、行動は少なからず変化していくだろう。

行政に対する「知る権利」の要求などは、長年、「インテリ・リベラル」が進めてきたテーマかもしれないが、それが実現した効果はより広範に及ぶ。そして、建前の「愛と正義」は、声高に叫ばれれば叫ばれるほど、すぐに社会のどす黒い不安・不満の渦にのみ込まれ、皮をむかれ、無意識かつソフトな優生思想に限らず、思いもよらない差別心と癒着（ゆちゃく）し、社会に向かう排他的で攻撃的な刃と化す危険性をもつ。私たちは「愛と正義」のあとに何を見定めることができるのだろうか。

「民衆」

二〇一七年五月号

「民衆蔑視」の論理

現代社会の主人公は誰か？「主人公は私たち民衆だ」とでもいえば模範解答になるだろうか。

では、そもそも「私たち民衆」とは誰なのか。たとえば、近年の安保法制などに関する社会運動についての報道では「子どもを連れた母親や今風のファッションをした若者たち〝普通の人〟が参加している」といった物言いがなされた。利権まみれのオヤジでなく、労組や専従活動家でもない〝普通の人〟。これぞ「民衆の声」。ここにこそ正統性がある、と。

インターネット上にはまた別な〝普通の人〟がいて「民衆の声」を「マスコミは聞かない」と、また「アベは無視する」と騒ぎ続ける。

しかし、実際に選挙をすれば、散々「〝普通の人〟の主張」とされたものが負けて、どちらかというと彼らが〝ズレてる人〟であったことが露呈することも多い。数年前までの国内の脱原発を争点とした選挙や昨年の米国のトランプ現象を参照してもいいだろう。「ごく一部の偏った人たちの声」とされてきた選択が民主的に選ばれる。すると、〝ズレてる人〟はその結果を「選挙制度の盲点」や「反知性主義の流行」「ポピュリズムだ」と「後づけの解釈」をする。ただ、この背景に存在するのは「民衆蔑視」の論理でしかない。「民衆は情緒的で、利権に目ざとい愚かな存在だから、既成制度では吸収できないほど安易に一方向に流されやすい。彼らはその私利私欲や不合理な判断能力に媚びた狡猾な政治家に利用されているのだ」と。ここで蔑むのも蔑まれるのも、どちらも「民衆」。「民衆」は何をしたいのだろうか。

学問の歴史のなかでは、歴史上ほぼつねに民衆は不合理で情緒的な存在だと指摘され続けてきた。近代化以前、無教養で情緒的な民衆が政治に関わる余地は限定的で、少数の権力者や知識人が公的な議論を率いていた。もちろん、それはそもそも教育や収入・人間関係に乏しい「機会の不平等」の上にあった構造だ。だから、近代化のなかで民衆の権利が拡大した。

「輿論の世論化」

しかし、それでも民衆は不合理で情緒的だった。十九世紀末のフランスの社会心理学者、

G・ル・ボンは、近代化のなかで人びとは些細な不満にも理性を失って熱狂し、暴力的な集団に変容してきたことを「群衆（Crowds）」という概念を用いて指摘した。工業や都市が発達し、仕事・生活の上で人びとが狭い場に集まるようになると、直接的な接触を通じて、たとえば、死傷者の出る労働争議などを厭わない群衆に変化したのだと。もちろん一方で、近代は新聞のようなマスメディア、ジャーナリズムを発達させ、それまでにはありえない広い空間で社会問題を共有して公的な議論を熟成させる機会をつくった。同時代・同国の社会心理学者、G・タルドはそこに生まれる新たな民衆像を「Public＝公衆」と呼び、公共性を視野に入れて議論する人びとが生まれつつあることも指摘した。

しかし、時代を経るなかで、再び民衆は視野狭窄的かつ情緒的に変質していく。メディア史研究者、佐藤卓己は「輿論の世論化」という議論を通してその変化を指摘する。「輿論（Public opinion）」とは正確な知識と議論を通して練り上げられた公論だ。他方、「世論（Popular sentiments）」は世の中の「空気」のこと。異なる両者の意味は、明治時代、明確に使い分けられていた。しかし近代化の進展のなかで、両者は混同され、「輿論」が「世論」の意味で使われるようになった。つまり、「民衆の空気」にすぎないものを、あたかも「民衆の熟議の結果の公論」であるかのように扱うようになった。この戦前からの変化は現在に至るまで続く。頻繁に報じられる「世論調査の結果」は「民衆の声」であるが、そこに「地道に公論をつくろうとする民衆」の姿がどれだけ存在するのだろうか。

「勝手に民衆に期待し、勝手に失望し、勝手に蔑み、挙げ句反知性主義・ポピュリズムなどという概念を恣意的に濫用しながら、天に唾を吐くがごとく権力批判したつもりになることで溜飲を下げる」ことを繰り返す近年の民主主義の一側面には、自分の都合を過度に投影した「民衆」の理想化と単純視が存在する。

社会において「民衆」が理性的で公的なことを真剣に考える存在であることを望むなら、そのような「民衆」を探し出し、育てることが不可欠だ。さもなくば、不毛な「都合のいい民衆」探しゲームがいつまで経っても民主主義を堕落させる道しか開けていかない。

「情報公開」と「住民参画」

二〇一七年十月号

価値の制度化

「目的と手段を履き違える」という現象は多くの人の身の回りに溢(あふ)れているだろう。幸せになろうと家や車など「大きい買い物」をしたのに、そのローンの返済に縛られ幸せなのかよくわからない状態で人生の大部分を過ごす。プロジェクトを早急に進めようと定例会議を始めたのに、いつしか定例会議に全員出席することがプロジェクトの達成感になり、実質的な進捗がなくても皆が充足感を得る。たとえばそんなことだ。

社会学者のイヴァン・イリイチは、こういった現象を「価値の制度化」と呼んだ。目的＝「多くの人が価値を感じるもの」を達成するための手段が、制度化するなかで、それが絶対的な目的であるかのように変質する。

この構造は近代化と密接に結び付いたものだ。たとえば、近代社会は、社会に適応して安定した生活を送るに足りる人材をつくりたい／なりたい、という「多くの人が望む価値」のもと、学校制度を発展させてきた。ところが、いつしか学校を卒業するという手段自体が、誰もが達成すべき目的とされ絶対化した。本来の目的（社会に適応して安定した生活を送るに足りる人材の育成）が曖昧になりつつ、現在に至る。

私たちはその指摘を自分たちに引き付けて考えるべきだろう。たとえば、日本における「平和教育」は学校制度に規定された必修科目ではないにしても、終戦から七十二年経っても日本に根付く教育プログラムだ。しかし、その成果への客観的な評価を目にすることは少ない。「平和は大事だ。困っている人を出さないようにしなくては」という理念までは誰もがいう。じゃあ、平和を守るために複雑な現実のなかで具体的に、誰が何をするのか、私たちの社会は考える力を蓄えてきたのか。冷静に思考し、議論する土壌はない。憲法や安保法制の議論がそうであるように、政治的思惑や情緒的な「べき」論が錯綜し、誹謗中傷合戦とタブー化が進行する。平和が目的のはずだが、そこに向けた手段を語る部分が形骸化している。そして、「平和は大事」という理念だけが絶対的な題目として、依存症的に反復される。平和の実現が目的ならば、その成果はきわめて一面的だといわざるをえない。

質の低い住民参画

多くの人が合意できる理念を掲げて価値観として共有するところまではよいが、それが「価値の制度化」の過程で形骸化する。これは現代社会でもしばしば見られる。

たとえば、「情報公開」や「住民参画」という理念に、現代社会を生きる私たちは大きな価値を感じずにはいられない。悪しき権力者による隠蔽を打破し、独占された利権を私たちが公正に分配するのだ、と。自由や平等などの近代的理念のように私たちに急速に浸透しつつある価値だ。

しかし、ここ数十年、その「価値の制度化」が一定程度進みつつある現代において、その「目的と手段の履き違え」も明確に露呈しつつある。

たとえば、直近の森友学園・加計学園問題をはじめ、メディアと視聴者が一体となった「本当は違法行為や究極のスキャンダルがあったのではないか」と情報公開を求める姿勢は、一定のところまでは正しい。だが、それを超えて明らかにこれ以上は手詰まりであろうというところに至ってのただの「下衆の勘繰り」をダラダラ続ける構図は、スキャンダリズムにのみ脊髄反射し根本的な議論を忌避する質の低い住民参画を日本の民主制に根付かせてしまう。「疑うこと」は重要だが、その過剰の先には「疑うこと」自体が健全に成立しえない未来が待っている。

あるいは、エネルギー行政・産業の問題や都議会における「情報公開」「住民参画」の必要性を求める声は、初めこそ大きな意義をもつものだった。だが、いざそれが制度・政策に具体化され始めると、山積する課題は解決に向かうどころか、むしろ混迷に向かっている。これまで限られた人びとが微妙なバランスのなかで整理していた情報・権限が解き放たれたときに、それを私たちの側が受け止めるだけの能力・体制をもっていないがゆえのことだ。

私たちは、情報隠蔽と同時に、情報過多の渦のなかで溺れる自分自身の姿を見極める必要がある。本来、「情報公開」や「住民参画」は情報の透明性を確保し、政治・行政に接点をもちにくかった人が直接そこに関わることで、私たちが必要な判断基準を手に入れて、現状に不具合がないか監視したり、のちのち満足度の高い判断をしたりする状態に近づくためになされる。依存症的に情報公開・住民参画という価値の希求が反復されることで、その目的を形骸化させてはならない。

「青年」と「平和」

二〇一七年十一月号

「老人」が細分化される

ドイツ在住の作家・多和田葉子の『献灯使』という近未来小説がある。日本が再び鎖国して東京が空洞化。街には百歳を超えても働く人が溢れる。二〇一四年の刊行ということで3・11の影響が見え隠れしつつも、日本の未来の一つの行く末を想像させる興味深いフィクションだ。そのなかで、「老人」という言葉が細分化されていく描写がある。つまり、「老人」とただいうのではなく、「若い老人」とか「中年の老人」と形容詞を付け、「老人」のなかでの細かい分類がなされていく。

来るべき超高齢社会の先にある社会では、いま「老人」と一括りにされる人びとが細分化されていくことは間違いない。さもなければ、違う問題を抱えた人びとを一緒くたに見ることしかできなくなるからだ。それはすでに現時点でも起こりつつある。たとえば、六十五歳、七十五歳の前期・後期高齢者の区分だけではさまざまな社会的齟齬が起こる現実があるだろう。収入・貯蓄の多寡、家族や近所付き合いの状況によって健康リスクやＱＯＬ（Quality of Life）が大きく変わることはさまざまな研究で実証されている。家族がいて仕事を続け収入が発生し続ける七十五歳と、独居で仕事・貯蓄がない六十四歳では、制度・政策上は前者へのケアが手厚くなされるとしても、実際の健康リスクは後者のほうが高い傾向にあることは明らかだ。

言葉の内実を「因数分解」していけば解ける問題も、それが大きな括りのままでは解けないことがある。将来を構想するうえで、社会の変化とともに、制度・政策を語る際の概念の内実や、その概念自体が変化することに敏感である必要がある。その必要性は、現代においてますます高まっているのではないか。

ややこしい「平和」の概念

社会学では、そのような「時空間の変化のなかでの概念の変遷」を読み解く研究がさまざまになされてきた。

たとえば、「老人」同様、「若者」も概念としてややこしいものになってきていることが指摘されてきている。なぜややこしいかというと、「若者」と言ったとき、その「ゴール」が曖昧になっているからだ。テレビで「若者」としての役割を演じる芸人やアイドルのなかにとうに四十歳を超えている者が交ざる風景は日常化している。本来の「若者」とは二十代とか、三十代になったら「三十路過ぎ」などと自嘲的にいいながらもう若者ではないことをいう風景があったのだろうが、そのような感覚が薄れてきている。

かつては「若者」の代わりに「青年」という概念が用いられていた。NHKの番組「青年の主張」は一九八九年まで放送されていた（二〇二〇年に特別バージョンが放送された）。いまでもスポーツで「青年の部」とか「商工会青年部」といった形で概念が残っている場合もある。ただ、いま「青年」というと、そこに古めかしさを感じる人もいるだろう。

青年と若者の最たる違いは、「青年」は「あるべき模範的な大人」に向けて教育・育成されるべきものという前提のもとで使われる傾向の強い言葉だということだ。たとえば、日本青年会議所は四十歳でやめなければならない。それまでに青年は成熟して一人前になる、という前提が当初はあったのだろう。

しかし、ライフコースが多様化した現代においては、年齢で人の成熟を測ることは困難だし、「あるべき模範的な大人」の在り方も曖昧になっている。「若者」はいつ終わるかわからない時間のなかをさまよいながら、（こちらも使用頻度が減りつつある概念である）「壮年」や「中年」を明確に経ることもなく、気付いたら体力的に働けるし、働かなければならない「若い老人」になっていく。そうした現代社会の様相が、概念の内実や変化のなかに見える。

現在、新たにややこしい概念になりつつあるのは「平和」だろうか。戦後の日本社会において「平和」は、憲法九条こそが「平和」であるのか、再軍備・改憲こそが「平和」であるのかという対立構図を下地にしつつ、「平和」を求めるゆえに日米安保体制の必要性が謳われたり、社会を堕落させるものとして「平和ボケ」が批判されたりしてきた。しかし、改憲の発議が現実味を帯び、日米安保体制を取り巻く状況や東アジア情勢の変化のなかで、「平和」を取り巻く環境は大きく変化している。

衆議院選挙に向け、超高齢社会、安全保障などをいかにすべきか、議論が繰り広げられている。飛び交い続ける「耳触りの良い概念」の内実が本当に問題を捉え切れているのか、冷静に見定める必要がある。

「コミュニティ」

二〇一八年七月号

はたしてそれは、正義か悪者か

「コミュニティづくりが必要だ」とさまざまな場で聞く。

衰退した農漁村・限界集落や被災地域といった「地方」ではもちろんのこと、子育てで苦労する親たちや貧困にあえぐ子ども・若者への支援など「都会」でもそうだ。コミュニティデザインとかコミュニティアートといった言葉も、一部の人にとっては流行語だ。

仮にコミュニティの必要性を直接耳にしたことがない人がいるとしても、地域の子どもに安価に夕食などを提供する「子ども食堂」のようなコミュニティづくりの実践を、日々のニュースで見聞きしているだろう。

一方、私たちは「反コミュニティ」の動きも、同時に身の回りで見かけているはずだ。

「コミュニティ」とは「共同体」とも訳される。前近代的な地縁血縁「共同体」のもつしがらみから逃れようと地方から都市への人口流出は続いてきたし、九〇年代には既存の終身雇用・年功序列の枠組みに縛られないで生きる「フリーター」が最先端・格好良いとされたこともあった。

いまも、「フリーランス」という概念をそれに近く使う人はいる。あるいは「忖度」をはじめとする空気の支配・同調圧力もまた、ある凝縮した集団のインサイダーたちのあいだで成立するのであり、まさにコミュニティの産物だ。私たちはこういう古色蒼然としたコミュニティらしきものが目の前に現れるつど、駆逐しようとしているように見える。

はたして、コミュニティとは正義の味方か悪者か。

それは一義的には決められない。新しいコミュニティがよくて、古いコミュニティがすべて悪いわけではなかろう。前者にだって、そこに凝縮して欲望・思惑が行き交う限り、いくら注意しても不公正はいつだって生まれるだろう。一方、長い歴史をもつコミュニティが、健全に社会貢献を続ける事例も世には溢れる。

同時進行する「コミュニティ」への期待と嫌悪。一見、矛盾するように見えるこの動きは現代社会の特質を表している。

こういった現象は、社会学では「個人化」や「脱領域化」といった概念で語られてきた。近代化がはじまって以来、それまで人を縛ってきた集団・組織がバラバラになり、そこから離れた個人として何らかの場所や肩書、主義・嗜好にとらわれない生き方ができるよう社会は高度化してきたことを指す。その過程は、人びとが自由になっていく姿そのものに見えるかもしれない。

「新しいコミュニティ」の危うさ

しかし、それは私たちに新たな課題をつきつけた。一つは、コミュニティが担っていたセーフティネットが用意されなくなったことだ。

非正規雇用労働や、高齢者の孤立化の問題を考えればよいだろう。何かあったときに助けてくれる会社や家族、地域という命綱がなくなった。

もう一つは、アイデンティティの供給だ。それがいかほどに重要なのか、私たちの多くは認識していないが、少なからぬ人は、自分が何者なのかを確認し続ける作業に命をかけているのを、身の回りで観察できるだろう。若者のみならず、高齢者までSNSに病的に依存したり、排外主義にせよ、権力批判にせよ、絶対に投げた石が返ってこない相手に全身全霊をかけて石を投げ続ける。「権威ある」マスメディアも有権者も下品にそれを煽り立てる。

現場が意識しているか否かは別にして、再度「新しいコミュニティ」をつくろうという力がさまざまな社会領域で起こっている。

しかし、「新しいコミュニティ」がはたして「正義の味方」か定かではないのは先に触れたとおりだ。古いそれに比べて、入るか抜けるか、裏返せば入ることを認めるか排除するか、選択可能性が広い。それは、その恩恵（セーフティネットやアイデンティティ供給）にあずかれる人を、コミュニケーション能力や従属度によって選別することと表裏一体だ。

たとえば、昨今のスポーツ界――コミュニティのまとまりの強さが競争力に直結する傾向がある――の不祥事（二〇一八年五月の日本大学アメフト部による反則タックル問題など）が戯画的に示したように、その選別は、「小さな教祖」や「カルト的な求心力」のもとでなされていくことも少なくないだろう。かつてのコミュニティのベースに、地域の祭りや宗教など習俗・慣習が入っていたところにそれらは代入される。

コミュニティへの嫌悪をさまざまに表現し続ける時代は当分続くだろう。それは避け難く必要なものであることは確かだが、同時に、その失われた場所に私たちが何をつくるべきかを考え続ける必要がある。

「役に立った危機」

二〇一八年八月号

大阪府北部地震に想う

大阪府北部で震度六弱を観測した地震（二〇一八年六月）では、多数の住宅被害、ガスなどインフラの損傷、塀の倒壊による死者の発生など多くの被害が出た。

一方、交通インフラの復旧、災害情報の共有、避難者などの支援については、大都市部にもかかわらず、これまでの大規模災害に比して相対的にスムーズに進んだようにも見える。

物理的な災害規模が局所的であったこともあるだろうが、阪神・淡路大震災、東日本大震災、あるいはその他多くの災害によって、土木建設・工学的になされてきた対策、あるいは、行政、公共機関、メディアなどがいかに対応すればよいか社会科学的に蓄積されてきた知見が生かされてきた結果だといってもよいだろう。

「危機」は社会を崩壊させたり、それまでの順調な歩みから逸脱させたりするきっかけだと捉えられがちだ。つまり、メディアを巻き込んで一大スペクタクル（見せ物）化するような規模の大災害・大事件＝社会的な危機は「社会を壊す」イメージで捉えられることが多い。「あの災害（事件）さえなければ、こんな悲劇は起こらず、その後の苦難の道はなかったのに」といった語りとともに記憶される。

しかし、こういった捉え方は一面的だ。たとえば、著名な米国の研究者、ジョン・ダワーの論文「役に立った戦争」は、戦時下に人や組織が国の名の下に巻き込まれ、整理されていった過程が、その後の高度成長を後押しする基盤となったことを指摘する。これは、他の論者によっても「一九四〇年体制論」「総力戦体制論」などという概念とともに指摘されたことでもあるが、危機が「役に立った」側面は、戦争に限らず、さまざまな分野に見受けられる。

近代史におけるその象徴は、関東大震災後の後藤新平による大規模な都市整備だろう。後藤が整備した公共施設、道路網、公園などは現在にもそのまま生き続け、多くの人の役に立っている。オイルショック後の省エネ技術の発達、阪神・淡路大震災後のＮＰＯ・ボランティアの行政への動員や地域メディアへの注目なども、日本社会の基盤構築に危機が「役に立った」系譜に位置付けられる。

PTSDからPTGへ

これらは長期的な「役に立ち方」だが、短期的な役に立ち方があることを示したのは、東日本大震災後に話題になったレベッカ・ソルニット『災害ユートピア』だった。

災害が起こると、平時には存在しえないほどの人びとの利他的な行動に基づくユートピアが立ち上がるという。いうまでもなく、災害は、人間を暴動やデマの流布のなかで野蛮な存在に引き戻す側面ももつ。

しかし、そんなパニックの一方で、つながりを求め助け合い、自分や周囲の人びとを守ろうとする欲望が社会の壊れた部分をつくり直そうとする。その自発的なユートピアは時間が経つなかで消えていくが、社会に残るものもあるだろう。自発的なユートピアのなかから、先に述べたような「役に立つもの」が形になり、制度化される「遺産」が出てくれば後世にも役立てられることになる。

これは個人的な精神・心理のなかでも起こることだ。近年、PTGという概念が注目される。PTSD（心的外傷後ストレス障害）という概念は多くの人が知るところだろう。トラウマ（心的外傷）を受けたあとにその問題が持続し、その後の行動を制約し生活上の支障をきたすようになることを指す。

一方、トラウマを受けたあと、そこから回復し、むしろそれをバネに新たな自分に出会う。これがＰＴＧ（Post Traumatic Growth：心的外傷後成長）だ。傷つき打ちのめされた経験があるからこそ得られる成長もあるという見方であり、そういう経験をもつ人もいるだろう。「危機」は役に立ち、成長のきっかけとなる。無論、それは危機のネガティブな側面を無視することを促すものではない。両者は両立する。ミクロに見れば、そこに生きる人の悲劇や当初思い描いていた人生からの逸脱を、危機が生み出すのは間違いないことだ。ただ、マクロに見たときに、あるいは個々人の問題としても、危機がその後の足場になり、歩むべき地べたを固め、道をつくることも事実だし、それは教訓と呼ばれるものでもある。

危機は社会をつくる。危機を前にして、忘れるのではなく、忘れないように過度に悲劇性・逸脱性を煽り立てるのでもなく、そこから何を私たちが受け取ることができるのか私たちはつねに問われている。

「戦争を忘れない」

二〇一八年九月号

「べき論」が生んだ浅薄な現実

例年、八月になると、「戦争を忘れるな」というスローガンが繰り返される。

この言葉に「戦争を忘れない」ための一定の効果はあるだろう。しかしそれが具体的に戦争を起こさないための政策論の吟味（ぎんみ）や、実際に戦争が起きてしまったときの解決策の検討につながっているとは考えにくい。

そもそも、私たちが戦争を「忘れてはならない」理由は明確なのか。

他の歴史的悲劇や社会課題（たとえば災害だったり、社会的弱者の排除）についても同様に、「忘れてはならない」理由はあるのか。

おそらくそれは自明ではない。だからそこには、これまでの人文・社会科学的な観点から多様な理由付けの議論が導き出し得る。それは、大きくethical、regulation、benefitの三つの系譜にまとめられるだろう。

一つ目が、ethical＝倫理的な「忘れるな」の系譜だ。「戦争は悪しきことだ。だから忘れるな」という小学生が学校で習うような議論がそれだ。「Aは悪だ」と、ものごとを善悪に分けた前提のうえで悪の側にAを位置付けるので、子どもでも理解できる「わかりやすい議論」だが、論理的な根拠のない「べき論」でもある。

「べき論」は事態が複雑化すれば一気に正当性を失う。戦争を忘れないぞ、繰り返さないぞと声を張り上げたところで、自らが主体的に戦争を避けることに向かう力にこそなれ、外から戦争を仕掛けられたり巻き込まれたりした場合には、主体的に対応する言葉はそこに用意されていない。日本が北朝鮮からの攻撃を受けるリスクが一定程度高まったここ数年、世に流布する議論を見れば、一方には「米国がうまくやってくれる」という他者依存願望が、他方には「北朝鮮が攻撃なんかしてくるわけがない」という楽観論が踊るだけだった。

実際、その程度しかオプションがないとして、その浅薄(せんぱく)な現実は、これまでこの「べき論」のなかでしか議論をしてこなかった結果だろう。

もはやスローガンは機能しない

二つ目がregulation＝規制目線での「忘れるな」の系譜だ。いわば「もしBを忘れて、何らかのトラブルになったら、次にまた同じような損をするリスクがあるのはあなただ。だからそれを未然に防ぐためにあなた自身が規制を施す側の視点をもつべきだ。そのために忘れないようにしましょうよ」という視点だ。

哲学者であるジョン・ロールズがいう「無知のヴェール」論は、その代表的なものだ。自分の立場、利害に無知になったつもりで、つまり平和な先進国に住んでいるのか、戦禍のなかの途上国にいるのかといったことについて、あえて一度ヴェールをかけて無知になったつもりで皆が納得し得る正しさを考えよ、自分がババを引くかもしれないことを忘れずに現状を観るべきだというのだ。

これは一定の説得力と持続性をもつ。ただし、実現にはときに高度な専門知や経験が求められる。その対象を知り尽くす力量なしに規制の精度はあがらない。

三つ目がbenefit＝便益があるから「忘れるな」という論理の系譜だ。忘れたらせっかく手にできるかもしれない便益を逃すぞ、というところに「忘れてはならない」根拠を置く。

戦争も災害も高齢化も、その最中も、それが収束していくときにも、さまざまなヒト・モノ・カネ・情報が行き交い、それまでにない便益が出る機会が生まれる。悲劇があった場所だからと集客ができたり、新たな知見を得られたりする。当然、悲劇を抑止・防止することでも便益は生まれる。だから「忘れるな」という論理は説得力をもつように見える。

ただし、それは「では便益が出ないなら忘れてもいいのか」という話と表裏一体のものでもある。「戦争を忘れない」ことで、便益が出る高齢者とそうではない高齢者がいたときに、後者が看過(かんか)されていいのか。その「忘れる」に市場原理が入ることになる。

かつて、皆が戦争や貧困に一定の「忘れようがない」感覚を共有していた時代であれば、「忘れるな」というスローガンは有効に機能した。しかし、いまそういった共通感覚を前提に「忘れてはならない」とethicalに押し付けがましく語ることは、戦争・貧困以外の種々の問題も含めて、難しくなっている。かといって、regulation、benefitとして「忘れるな」と語る前提も用意できていない。「忘れてはならない」根拠を考え続けることを忘れてはならない。さもなくば、遠からぬ未来に本当に何もかもを忘れるだろうから。

「怨恨」

二〇一九年二月号

会津と長州の怨恨

徴用工訴訟問題、辺野古新基地建設問題の話題もそうだろうが、まずは「法・制度レベル」での論点において、人びとのあいだに大きな決裂が走り、さらにそれと同じかそれ以上の「感情的もつれ」が存在し、混乱しているようにみえる社会問題は少なくない。「法・制度的論点の決裂」に至らずとも、疑獄事件や芸能スキャンダルだって、それを見る人びとの個人的な怨恨が投影されて盛り上がっている話題もある。

特定の人や地域、モノ、価値観などに対して向けられる怨恨は、その対象を「絶対的悪」の象徴と想定する。それは現代社会を動かす原動力にもなっている。

感情の一側面にすぎない怨恨は軽視されがちだが、ときには正面から向き合う必要もあるだろう。

つまり、怨恨とはいかなるもので、いかに解消されうるのか、と問うことで見えるものもあるのではないか。

たとえば、歴史に詳しくなくても、明治維新の敗者の怨恨を知る人は少なくなかろう。

昨年（二〇一八年）は「明治維新一五〇年」にあたった。明治新政府が地位を確かにした戊辰（ぼしん）戦争。その敗者である会津では「戊辰一五〇周年」と換言（かんげん）され、さまざまな催（もよお）しが行なわれた。

その地において「戊辰戦争での敗戦」という記号は、日本全体における第二次世界大戦での敗戦や原爆投下と同様、想像を絶する犠牲と残酷な物語を現代人が繰り返し想起し直す作業と直結している。

なんらかのかたちで会津に接点があれば、「いまでも会津の人は長州・山口に強い反感をもっていて、同席することもためらわれるほどだ」という話を聞いたことがある人も少なからずいるだろう。

これは俗説として大げさにいわれすぎてきた部分もあるが、それでも確実に地域に残る感情でもある。百五十年越しの怨恨は間違いなくそこに存在する。

怨恨の確立は高度経済成長期

しかし、この怨恨の出自は複雑だ。というのは、田中悟『会津という神話』（ミネルヴァ書房）など近年の研究が明らかにしているとおり、先に述べた俗説に象徴されるような「長州への被害者・敵対意識」としての怨恨が確立されたのは、時期としては高度経済成長期になってからである。そこまでの八十年以上のあいだ、怨恨はより曖昧なものだったからだ。

長い期間、多くの人が明確に認識しているかという点で曖昧だった怨恨が具体的に一まとまりのかたちをもち、人びとに共有されるに至った背景にはいくつかの要因がある。

戦後の皇国史観の衰退、白虎隊の自刃の物語のような地域史を観光資源に活用しようとする動き、司馬遼太郎らの文芸作品における悲劇の語られ直し……。

それらのなかで、ときに史料から実証しきれない話が通説化してきたこともあった。

いずれにせよ、そこには人の人生の長さを超えて存在する怨恨を私たちがいかに捉え扱うべきか、想像するヒントがある。

常識的に考えれば、怨恨は悲劇・被害が発生した直後にもっとも肥大化し、時間の経過や断罪・謝罪などなんらかの「落とし前」がつくなかで縮小していくように思える（し、実際多くの場合そうだろう)。しかし、なかには潜水艦のように、沈んでいって見えなくなったと思ったら、急に姿を現わす怨恨もある。

時間の経過のなかで、ある歴史的事実を直接体験したり見聞きしたりした人びとの存在は減り、消えていく。そのときに、個別具体的な体験よりも、抽象化され単純化された物語としての怨恨が蘇生するのは、よく考えれば必然性がある。

同時に、そうやって蘇生された怨恨が、未来永劫生きながらえるとも思えない。怒り続けるにもエネルギーは必要であるゆえだ。

実際に会津の長州に対する怨恨も、世代間での温度差は小さくない。近年は「仲直りはしないが仲良くはする」という言い方もされる。

私たちは、これからも「誰か」の「何か」に対する怨恨を、第三者として見ることはあるだろう。そのときに、それはそれとして受け止めつつ、その上で「これから」を冷静に見据えることにエネルギーを使う人が存在することを確認する重要性は、ますます高まっているのではないか。

「ならず者」

二〇一九年八月号

ゴミ屋敷問題の報じ方

先日、平日午後の情報番組で、ある地方都市に存在するゴミ屋敷が特集されていた。二階建ての住居で二階の居住部分はもちろん、一階の車庫部分もゴミで埋め尽くされ、人通りの多い公道にはみ出している。ボヤ騒ぎなど周辺住民に脅威を感じさせることが何度もあり、行政も注意するが、そのゴミ屋敷の住民である高齢男性は頑なに対応を拒絶する。

番組は、もはや公園などで暮らす生活を続けているこの高齢男性を探し出して詰問する。彼は、このゴミは街を回りながら拾い集めたもので、災害などが起こったときに役立つはずだ、皆のために良いことをしているんだと主張して埒があかない。ＶＴＲを見たコメンテーターたちは倫理的に許されない、違法性があるから放置すべきではないなどと、「とんでもないならず者」としてこの高齢男性を糾弾する。

しかし近ごろのメディアであれば、同じ素材（＝ゴミ屋敷の高齢男性）をもとに、別様の描き方をするパターンもありえただろう。いかにこの住民が家族や地域、仕事の人間関係から疎外され、孤独で社会的な役割をもちえず、依存症などなんらかの精神疾患をもち、高齢であるゆえ、いまからいくら自助努力しようとも収入を得る限界はみえ、早急に対応しようにもそうできないほどに追い詰められてもいる――。そんな事実を積み重ね、なぜ彼は孤立してしまい、どう社会と折り合いをつけうるのか、考えさせるというような。

たとえばそれは、かつては「とんでもないならず者」と吊し上げていた違法薬物使用者を、依存症対策や社会復帰の必要性とともに報じるようになったように。あるいは同性愛者など性的マイノリティを、かつて日常的に笑いや侮蔑の対象としていたところから、そんなことは許されなくなり、その指向や自認への理解や既存制度の変更の必要性が主張されるようになってきたように。

だが、その情報番組は、「とんでもないならず者」としてこの住民を描いた。それがけしからんという論を詳述することは必要・可能だが、より奥にある構造を見据えることも重要だろう。これは包摂排除の線引きの偶有性（＝そうではなかったかもしれない可能性の所在）の問題だということだ。

包摂の構造的な自己矛盾

近代化・民主化の歴史とは、社会的に排除されているものを発見しては包摂する無限運動の歴史でもある。身分制・人種差別や世代や地域や貧富の差など、さまざまな線引きのもとで虐げられる人を救済する。それは制度変革やカネの分配、科学技術の導入などによってなされてきた。排除されるものを発見しては包摂して、「とんでもないならず者」をそうではなくしてきたのだ。

ところが、この包摂の無限運動は構造的に自己矛盾をもつ。あらゆるものを包摂することを掲げ続ければ、それはいずれ「排除（主義者・する制度）をも包摂するか否か」を迫られるからだ。たとえば、排外主義者や歴史修正主義者、人身に危害を与えるニセ科学・デマゴーグ、小児性愛者や性犯罪常習者などをも包摂すべきなのか、と。「そんなのは議論の余地などない」と排除されることを自明と断ずることは簡単だが、おそらく包摂／排除の線引きは、近代化・民主化の歴史が続く以上、自明ではなく曖昧になっていくし、既にそうなっていると認識する者もいるだろう。「とんでもないならず者」とされる彼らを救わなければならないという包摂の論理・倫理は必ず生まれて、線引きを曖昧にする。かつては、違法薬物使用者や性的マイノリティについて社会的に包摂すべきとの議論など想定することができない時代があったし、いまもそう思う人は社会に少なからず存在するのと同様に。

包摂／排除のせめぎ合いを冷静にみる議論が供給されるべきだ。包摂と排除の関係は本来より曖昧で相互作用のあるものだ。ヤクザと芸能や（いまでいう）人材派遣業の近接性と、それこそがまさに社会的に排除された人びとの包摂装置になっていた歴史であったり、ナチスの悪魔のような排他主義が（ナチスが認めるところの）国民への類を見ない包摂性と表裏一体として存在したりしたことは多くの人が知るところだ。

何かを包摂しようとするなかで何かを排除してはいないか。それでもなおどこかに線を引き、それが誰のためになるのか。そんな自覚を内包した視点が、現代に存在するいくつかの閉塞感を打破する契機になる。

「時空の制約からの解放」

二〇二〇年十一月号

オンライン化・デジタル化が生んだ「自由」

情報社会が進展するほど、場所や時間の制約から私たちは解放される——。そんな物言いはよくされてきたし、実際に「解放戦線」は急速かつ不可逆的に進んできた。コロナ禍は会議、講義・講演、芸術イベントなどのオンライン化・デジタル化をはじめ、その動きを加速している。

オンライン化・デジタル化は、本来ある場・あるときにしか経験できなかったことを、時間・場所を問わず、必要ならば何度でも追加コストをかけずに反復して経験できるようにする。長期的に見れば、必然的に教育コンテンツの生産コスト低減につながる。現在、学校教育では「やはり対面授業が本来の教育のあるべき姿だ」といった揺り戻しの議論があるが、オンライン化・デジタル化を進めたほうが経済的格差、地域間格差や言論の自由・不自由をはじめとする政治的格差を是正する可能性に、少なくとも技術的には開かれていくのは自明だ。「手書きの便りのほうがぬくもりを感じ心が伝わる」と、電子メールがその技術普及の初期に見舞われた〝不要論〟と同程度の言説にすぎないと、後世においては評されるだろう。

むしろいま問われるべきは、時空間の制約から私たちが解放されることが絶対善か、ということだ。

たとえば、空間に縛られることと近代化の関係について、フリードリヒ・エンゲルスは著書『住宅問題』で、近代以前から伝統的な農業に従事してきた「土地に縛られた労働者」が、近代化のなかで「完全に無所有の、いっさいの伝来のきずなから解きはなたれた、空とぶ鳥のように自由なプロレタリア」に変化したと論じる。つまり工業化のなかで、農家の子弟も、農地を継がず都市部の工場労働者になっていく。しがらみにまみれた共同体で永遠に反復していく人生から飛び立つ選択肢が生まれたわけだ。ところが、その鳥は幸せにはならなかった。資本主義は安い賃金のうえに劣悪な住環境と重い家賃負担を用意する。いくら羽を得ても、貧困と格差の籠のなかでもがく日常が始まるだけだった。もちろん、一握り、その籠から抜け出す成功者もいるのだろうが。

この十九世紀の資本主義の弊害はさまざまに是正されてきたことは確かだろう。しかし完治はしてはいない。労働のなかで手触り感のある（Tangible）成果や人間関係を感じることが困難な状況はより悪化しているようにもみえる。

あらゆる差が露骨に可視化される

このように本来、空間からの解放とは両義的なはずだ。自由を得ることは、より高度にその弊害が不可視化された不自由を受け入れることと表裏一体である。それは時間からの解放についても同様だろう。

時間の制約からの解放は客観的な時間尺度を曖昧にする。それは必ずしも社会的弱者に優しくはない。

決まった時間に全員参加の朝礼を行なう、というような客観的な時間において同期されたコミュニケーション。これは異質な他者同士で構成される社会・組織に、差異を包摂しながら人びとを動員する前提として機能している。「余計なお世話」でありつつ「面倒見の良さ」でもあるのだ。現代社会を生きる人びとは直線的・目的論的な時間への意識をもっている。目標となる成果を達成する、ないしは皆で利益や利便性をあげていく、といった時間感覚のなかで生きているわけだが、しかしある期間までの遅れや失敗は社会・組織が一定程度背負ってくれる。

しかし、その前提が失われれば異質な他者同士はバラバラになり、これまで存在しても僅(わず)かだった「時間の自己決定・自己責任化」は極端に進むだろう。主観的な時間尺度を打ち立てて自己研鑽(けんさん)するのか、それとも非同期コミュニケーションを活用するのか。いずれにせよ、その結果としての能力差、カネ・コネの有無などは、より露骨に可視化されるだろう。

コロナ禍のなか、もっとも苦境にあえぐのが飲食業・観光業だが、これらは多くの人にとっての客観的な時間尺度を歪(ゆが)ませ、揺るがす機能をもつ聖域だった。仕事・学校、日常生活、健康や人生の残り時間といったほとんどの領域が、客観的な時間尺度に縛られ、それゆえに多くの人が疲弊(ひへい)するなかで束(つか)の間の解放と癒(い)やしを提供してくれる場だったわけだ。一方にはそこが感染症によって占拠されている現実があり、他方には時空間の制約から私たちが急速に解放される過程がある。両者の邂逅(かいこう)は、私たちに時間感覚の刷新を求めているのではないだろうか。

第二章
社会の盲点

橋げたが完成した気仙沼湾横断橋。三陸沿岸道路の一部（宮城県気仙沼市）
写真提供：時事

性的なものへの過剰規制

二〇一七年八月号

画一的な「浄化」への反発

ここ一年ほど、断続的に「アダルトビデオ（AV）出演強要問題」が報じられている。事の発端は、昨年六月、大手AVプロダクション関係者が所属女優に「AV出演強要」をしたとして逮捕された事件だった。その後、メディアはたびたび「AV出演強要」を取り上げ、内閣府男女共同参画局が啓発サイトをつくり、各都道府県警に「アダルトビデオ出演強要問題専門官」が新設されるなど政治・行政の具体的な動きにつながった。

これを機に徹底的にAV業界を浄化し、悪弊からAV女優たちを守るべきだ――と勇ましく主張もできようが、じつのところ事態はそう単純な話ではない。象徴的なのは、この一連の動きに対して現役AV女優はじめ業界関係者から、強い反発が表明されているということだ。

ポイントは二つ。一つはこの「ＡＶ業界浄化キャンペーン」が、業界を過度に悪辣に描き「悪魔化」する志向をもってきたことにある。それが事実であればよいが、その内部に生きる者からは「さすがにそれは現実離れした話だ」と一笑に付されること（たとえば、業界全体で暴力や児童ポルノが日常的に許容されているかのような話）が、興味本位かつ、まことしやかに語られてきた。

もう一つは、その「悪魔化」のなかで、業界への政治・行政の介入を求める主張が顕著になっていることだ。たとえば、ＡＶ女優の本名・住所を含む個人情報を収集して広範な人びとに共有すべしという提案が人権団体から出されてきた。たしかにそれはＡＶ出演強要を防止する一助となりうるが、他方では、業界関係者へのストーカー被害や業界を引退した者の生活上の不便につながるリスクは容易に想像がつく。ＡＶ業界の内部構造について無理解なまま、画一的な「浄化」を求める流れに、内部に生きる人が不満・不安をもつのは当然だ。

ここで興味深いのは、本来は政治・行政の市民への介入に抵抗する傾向の強い人権団体や同調者が、このＡＶに関する政治・行政の介入を促すことには好意的であり、むしろその旗振り役を務めていることだ。

もとより、政治的保守派や行政・警察は性的な規範に厳格な志向をもち、機会があれば法制度化しようとしてきた。他方、そんな画一的な規範を相対化する潮流をつくってきたのが（たとえば、十年ほど前に「ジェンダーフリー」という言葉が世に流れたときにそれを支持したような）人権問題やフェミニズム運動に親和性の高い革新層だった。しかし、今般の問題においては「保革共闘」が実現した形だ。そのうえで、このブルドーザーのような「浄化」が進んでいる。

規制強化が問題の隠蔽につながる

この「浄化」は問題の悪しき地下化につながる。暴力や不当な労働問題について解決への方策を打つことは当然、必要なことだ。しかし、その「解決への方策」は十分に吟味される必要がある。そもそも、政治・行政による「性の浄化」はＡＶにはじまったことではなく、ここ二十年ほど、「歌舞伎町浄化作戦」のような繁華街の性風俗業界などへの規制強化や、各都道府県にある「青少年保護育成条例」において性的な表現を含む出版物などの非合法化などを通して続いてきた動きだ。

この過程で、街の風景は「浄化」されてきた一方、店舗型の風俗は「デリバリーヘルス」など無店舗型化し、加計学園問題が世間を騒がせるなか、文部科学省の事務次官が頻繁に通っていたことで有名になった「出会い系バー」のような実質個人売春につながる業態が発達してきた。これは、結果として内部で起こっている犯罪やそれに類する不公正をブラックボックス化し、問題をより隠蔽して解決し難いものにしてきたと捉えられる。つまり、「あってはならぬもの」を私たちの視界の外に追いやっただけで、問題自体をより不可視に、悪化させている構図がある。

とりわけ近年、ＡＶや風俗を含めたセックスワークが女性や子どもの貧困問題と強く結び付いていることが指摘されている。性的なものに対する規制強化への大衆の願望は強く、その議論は表立って批判しにくい。ただ、地下化と貧困問題が結び付くなか、課題がより解決から遠のくのならば本末転倒だ。

あらゆる社会問題とその解決策に通じることだが、現場感覚を欠いた過剰規制が、規制を通してめざしていた問題の解決をかえって遠のかせ「意図せざる結果」を生むことには注意を払い、丁寧に議論する必要がある。メディアを通して知ったことが現実のすべてであるかのように錯覚しがちな現代において、その感覚はなおさら重要になってきている。

「ムラ社会」の駆逐ゲーム

二〇一八年十月号

不祥事に共通する基本構造

先月、ベラルーシを訪問した。二十四年にわたって独裁制が続き東欧の北朝鮮と称されることもある国だ。

政府関係者との懇談(こんだん)のなかで、現代において独裁制をしくことには持続性があるのか、と問うた。

「西欧・米国の理屈はよくわかっている。自由も公平・平等ももちろん大切だ。ただ、私たちには私たちのやり方がある。たとえば、シャルリー・エブド襲撃事件ってあっただろう。なんでも自由にやるのが大切だといって、他人の宗教を馬鹿にしてテロを起こされたら大勢で集まって行進してみせて。こっちから見れば、はじめから終わりまで、あんたらは何をやってるんだという話だ。うちではあんなことは起こらない。ベラルーシは治安が良く、一〇〇カ国以上の人が仲良く暮らしている」

無論、独裁制が良いとは毛頭思わないし、絶対に「あんなことは起こらない」のか、もっと別な悪い出来事が表沙汰（おもてざた）にならないところで起きているんじゃないか、などと考えずにはいられない。ただし少なくとも、日本で多くの人が口角泡（こうかくあわ）を飛ばして論じることが、まったく「あんたらは何をやってるんだ」としか見えない社会が現代において世界に存在していることを知っておく必要はあるだろう。

近年、日本で人びとの耳目を集める社会問題・スキャンダルの多くは背景に同型の構造をもつ。

まだ多くの人の記憶が鮮明なところだと、日本大学アメフト部反則タックル問題やアマチュアボクシングや女子レスリングでのパワハラ問題のようなスポーツ界での不祥事、東京医科大学の不正入試。少し前まで遡（さかのぼ）るならば、東京五輪エンブレムの盗用疑惑、福島第一原発事故以降の原子力関連産業・行政におけるもたれ合いからなる「原子力ムラ」の諸々の失態。もっと前ならば大阪地検特捜部主任検事証拠改竄（かいざん）事件、ライブドア事件……。それぞれが異なる時期・分野でバラバラに起きているが、どれも同じ構造を繰り返している。

何を繰り返しているかといえば、現代社会に残存する「ギルド的なるもの」の駆逐にほかならない。

「ギルド的なるもの」は、現代のさまざまな業界に残る「ムラ社会」と換言してもよい。

あるムラ社会のなかでは当然だと思われている習俗がある。それはムラの安定と発展、そしてそこに所属する構成員たちの多くが経済的・社会的・精神的にいまの日常を繰り返していくためには、不可欠だと思われている。これまで外部からのムラに対する評価の向上や所属構成員の満足度を一定以上に保つという意味でも、実績をあげてきた。長い時間のなかで吟味され、築かれてきたムラの習俗や人間関係、掟が、ある瞬間、偶発的にムラの外に露呈する。

そのとき、「現代の民主主義先進国においてあるべき法や規範、公平性や平等性」に照らせば、あまりに前近代的・封建的で不自由を人びとに強いている実態が丸裸になる。そして大多数のムラの外に住む人びととの情動から生まれ出た「これは稀代の悪者だ、潰せ、消せ」というエネルギーが、一気に爆発してメディアイベントが形成されていくのだ。

「ギルド的なるもの」の捉え方

「ゲマインシャフト」と「ゲゼルシャフト」という社会学の基本概念がある。近代社会は、群れ合いの上に立つ集団であるゲマインシャフトから、目的性に特化した集団であるゲゼルシャフトへと、優位な状態が移行していく社会だとされる。ギルドは元来、ゲマインシャフト的な存在だから、大企業が登場したり市場が自由化・巨大化したりしてゲゼルシャフト的な組織が社会を支えるようになってくるなかで衰退していった。

しかし現代において、一見すると最先端で、人びとの耳目を集めるもののなかに、表面からは見えないかたちで「ムラ社会」が存在し、「ギルド的なるもの」があることに、私たちは苛立っている。何をやっても利権だ、ハラスメントだと粗探しされる状態は、今後も際限なく繰り返されていくだろう。

私たちは、この「ギルド的なるもの」をどう捉えるべきなのか。いま独裁制・寡頭制に近い政治体制をとる国では「ギルド的なるもの」が社会を支え、その利点を活用して前進しようとしている。当然、私たちはそうはなれないし、そうなるべきでもなかろう。しかし、「ギルド的なるもの」の駆逐ゲームを講じるなかでも、代替的かつ理想的な社会のあり方を構想する必要はあるだろう。あくまでそのゲームは理想に向かうための手段にすぎないのだから。

ラストワンマイルという課題

二〇一九年五月号

社会に点在する溝

ラストワンマイル――。もともと通信業界や物流業界で使われてきた概念だが、より広く現代社会を読み解くキーワードになりうる。

たとえば、インターネットを家まで引くとしよう。家の近くの電柱まで回線があるならば、その最終拠点から家までの回線を付け足せば、家でインターネットが使えるようになる。この「最後の付け足し部分」を比喩(ひゆ)的に「ラストワンマイル」と呼び、ここを低コスト・高品質に実現することこそが、現代のビジネスにおける最重要課題の一つとなる。

現代において、電柱・電線も配送事業者・拠点も、すでにそこら中にある。初めからそうだったわけではないが、経済発展のなかでそれらは相当程度、社会全体を網羅するように整備されてきた。しかし、社会全体を網羅するインフラがあるということと、それが個人の手元まで届くということのあいだには大きな溝がある。

この溝は非営利活動にも発生する。たとえば、防災における「ラストワンマイル」は大きな課題だ。

大災害が起きれば、その被災地に支援物資が集まる。でも、それを分配・配送する・できる人や情報収集のインフラが足りない。そもそも物資を集積する場所すらない。被災時にそんな状況が想定される場所は少なくない。衰退する地方でというよりも、都会の中心部でこそ、その問題は深刻化するという見立てもある。

あるいは、災害からある程度時間が経って仮設住宅ができたとしよう。ボランティアがそこに住む被災者を訪問して、お茶を飲みながら心身の健康状態の課題をあぶり出し、被災者と行政、被災者同士のつながりを再構築する活動をしていく。そのなかで生活再建のきっかけをつかんでいく人も多い。ただ、家に引きこもって出てこない被災者に対しては、こういったアプローチは意味をなさない。外に出られないほどに心身が追い込まれた状態にある被災者にこそ、じつはこうした支援活動が有効だったりもする。溝は深い。

溝を埋める作業

この溝を埋める策の一つになりえるのが、研究開発が進むドローンや自動運転を用いた配送システム。多くの人がそこに未来を見出しているように見えるし、そうだとすればラストワンマイルを埋めることこそ、現代の希望の象徴であると見ることもできるだろう。

一方で、物流業における、仕分け作業や配達に関わる人の激務が問題になっている。小売業・飲食業におけるラストワンマイルの部分である都市部のコンビニやチェーン系居酒屋のアルバイトの相当割合を、外国人や高齢者が占めている現実を誰もが目撃している。これらは、その溝にこそ現代社会の暗部と外部が象徴的に現れていることを示す。ラストワンマイルは両義的に現代を象徴する。そして、それは「文明化の残余（ざんよ）」と呼ぶこともできる。

文化人類学の大家・レヴィ＝ストロースが提示した「野生の思考／科学的思考」という対概念がある。これと似た、社会学における対概念「生活世界／システム」を参照してもよい。

私たちはもともと、料理や暖炉（だんろ）に必要であれば薪（まき）をとりに行っていたし、水を飲みたければ井戸に汲（く）みに行っていた。情報を知りたかったり伝えたかったりしたら、見たり話したりしに行っていた。道具を工夫しながら使って、顔の見える関係を利用して「野生の思考」のもとで「生活世界」を生きていた。しかし、文明はさまざまなものを「科学的思考」のもとで「システム」化していった。電気や水道、情報を得るインフラが山奥や離島にすら張り巡らされた。便利でスマートな文明すべてにつながっていると思い込んでいる。

ところが、それでもなお文明に染まりきらない部分が残る。その一端がラストワンマイルと呼ばれ課題として意識化されている。そう捉えたら、私たちの身の回りにさまざまなラストワンマイルが残っていることに思い当たるに違いない。

政治だって医療だって、かつてよりは一見自分の近くにあるような感覚を得やすくなる道具は用意されてきているようにも思える。でも、本当に自分とつながっているのかというと、多くの人がラストワンマイルの欠如を感じているかもしれない。

さまざまにラストワンマイルを用意し、その溝を埋める作業の主導権を握っていく組織や人が経済のうねりをつくっていくだろうし、そこを意識するところにこそ、より民主的で包摂的な政治をつくる端緒（たんしょ）があるのではないだろうか。

地方創生と関係人口論の現在

二〇一九年七月号

求められる強いインパクト

「地方創生」を安倍内閣が掲げたのが二〇一四年九月のことで、あれから五年が経とうとしている。東京一極集中を是正し、地方の人口減少を止める。それが日本全体の経済・社会を底上げする。そんな目標はどこまで達成されたのだろうか。

地方の景気は、それまでの二十年ほどの困難に比べれば悪くはないようにもみえる。利便性が注目されて人口増が続く福岡、インバウンド観光が盛んになり以前に増して観光客で溢れるようになった京都や札幌などの政令指定都市をはじめ一部の地域は元気だし、地方部・過疎（かそ）地でもアイディア・独自性が光る成功事例が多数掘り起こされてきた。

しかし、それらは全体からみれば一部のことでしかない。より広い波及効果、強いインパクトが必要だし、そもそもマクロな好況の下支えがなくなればすべてが崩れかねない。持続可能性がないものかもしれない、という冷静な視線も必要だろう。

そんななか、地方創生にさらなるテコ入れをしようと「関係人口」が注目されている。そもそも「人口減少」と言ったとき、私たちはその「人口」に住民票を置いているような「定住人口」を想定する。しかし、住民票を置いていない人口が地域を支える場合は当然ある。

都心部でも、夜間や土日はスカスカになるが、平日は区外から働きに来る人で溢れるエリアがある。観光地・歓楽街も、定住人口自体は少ないけれども、経済・社会は成り立つ。このように仕事や観光で訪れる人を「交流人口」と呼び、地域を支える効果に着目する議論があった。

しかし、非定住人口に着目する議論を深めるならば、仕事や観光ほど明確な目的や身体の移動を伴わない「人口」もまたあるのではないか。「日本酒はこの地域のものがよい」とこだわって買うとか、出張に行く途中で道の駅やサービスエリアに立ち寄るとか、チャリティイベントで被災地復興の募金をしてみるとか。意識的か否かは別にして、生活のなかである地域を関心・関与の対象とし、継続的に行動する機会は多くの人にとって少なからずあるだろう。この関心・関与をもつ人の頭数について、まだ明確な定義が定まらないものの、次第に一定の議論と期待が積み上がって生まれた概念が「関係人口」だ。

関係人口は定量化・可視化しづらく、制度や政策でそれを増やすのは容易ではない。ただし、結果的にその可能性と課題を明確にしているのが「ふるさと納税制度」だ。納税先を自分で選び、それを受け入れる側は返礼品などに創意工夫をこらすことで納税者と持続的な関係をつくる。都市部の人間が、自分にゆかりのある地だったり、過疎や災害復興など課題を抱える地域と繋がる手段などとして活用されたりしてきたし、その一方で返礼品を豪華・高価なものにする過当競争が起こり、政府が規制をかける状況にも至っている。

新たな関係人口獲得競争の勝ち組と負け組が生まれるような土壌ができ始めているともいえるが、納税という持続性があり、中央に一極集中してきた仕組みを使い関係人口を掘り起こし続けることは、今後も模索され続けるべきだろう。

多拠点居住を促す取り組み

同時に、官からだけではなく、民間ベースの関係人口の受け皿づくりもより活発になる必要があるだろう。すでにメディアでも注目を浴びている「食べる通信」という東日本大震災を機に東北ではじまった取り組みがある。会員になると一次産品と合わせて、生産者の生き方・作物への思いを詳細に書いた冊子が届く。スーパーに行っても手に入れられない知られざる名品とその背景に眠る物語は、東北のさまざまな地域と人を遠方にいる消費者と繋げ、野菜を継続的にとり寄せたり、農業体験に行ったり、なかには移住したりといった関係を生み出し続けている。

二拠点・多拠点居住を促す取り組みも盛んになってきている。たとえば、起業家で孫正義氏の弟でもある孫泰蔵(たいぞう)氏が代表理事を務める「一般社団法人LivingAnywhere」は、普段は都会で働く人が富良野・会津・館山(たてやま)といった場所に移動して、一定期間仕事をして、地域との交流なども行なう実験的な取り組みを続けている。その名のとおり「どんな場所にも住んでみる」体験をとおして、結果的に都市部に軸足を置く人も関係人口化する可能性は高まる。

まだ「地方創生」で議論すべきこと、やれることはある。動く人・カネの量のみならず、内実・質も高められるよう施策が打たれていくべきだ。

大規模長期避難への無自覚

二〇一九年十一月号

応急措置のレベルに留まる防災意識

現代人の防災意識の醸成（じょうせい）は3・11後の断続的な災害を通して、一定程度達成されたといってよいだろう。自宅や職場のハザードマップを作成して避難方法を検討したり、災害時に不足するものを備蓄（びちく）したりといった官民問わない動きを身近に経験した人も少なくないだろう。

しかし、現状の（専門家集団内部における議論を超えた）一般レベルの防災意識のつくられ方には、ある種の偏りがあるといわざるをえない。それは、そこにおける防災の扱う範囲が、時間軸として、災害直後の「応急措置」のレベルに留まる傾向があるということだ。発災から数時間、長くて数週間のあいだに起きることのイメージは重要だが、それだけでは防ぎきれない被害もある。

たとえば、大災害発生時に、自分が大規模長期避難の問題に巻き込まれうることを、どれだけの人が想定できているのだろうか。

避難生活は、多くの人が経験する「避難訓練」のように、半日もすれば終わるものではない。ときに大規模・長期化し、建物倒壊や火災・溺死(できし)以上に人命を奪う可能性をもっている。

参考になるのは3・11を経験した福島県の現状だ。地震・津波での死者数は一六〇五名。他方、それとは別に、避難を継続するなかで心身に不調をきたして亡くなった「震災関連死」は二二七八名に及ぶ。

まず、災害初期に病院や介護施設にいたお年寄りや体力の落ちた人は、避難する過程で急速に衰弱(すいじゃく)する。避難所に行っても、それまで健康だったようにみえる人でも気温や衛生環境、運動不足など、生活習慣の変化や精神的ストレスの蓄積(ちくせき)によって驚くほど簡単に亡くなる。

発災後数カ月で仮設住宅などの住まいも整備されてくる。しかし、医療・福祉ケアが不十分でプライバシーも確保されず、そもそも利便性のある場所に仮設住宅をつくるだけの広大な土地が余っていることは稀(まれ)であるため、入居できてもあらゆる面で不便な生活を余儀(よぎ)なくされる。そのなかで、生活習慣病などで亡くなる人が出てくる。その後、数年単位で、プレハブなどでつくられた仮設住宅の代わりに、鉄筋コンクリート造の災害公営住宅なども充足されていくが、今度は被災者が孤立し、鬱（うつ）などの精神疾患や孤独死が増える。

避難を長期化させる高齢社会

今後起こりうる災害での避難者の人数規模は、私たちのイメージを凌駕（りょうが）する。

一九二三年の関東大震災のとき、東京、神奈川から遠方への避難は六〇〜七〇万人規模に及んだと推計されている。当時の東京の都市部人口は二五〇万人ほどであり、郡部や神奈川東部を含めたとしても相当な割合だ。無論、いまに比べてあらゆる面で都市防災が未発達だったゆえの被害の拡大もあった。しかし、現代における都市への人口と国家機能の集中やインフラの複雑化を踏まえれば、より深刻な被害が起こる可能性も想定すべきだ。実際、首都直下型地震の直後の避難者数は最大約七〇〇万人ほどという推計もある。

高齢社会は、避難を長期化もさせる。阪神・淡路大震災のときも避難の問題は大きかったが、それでも発災から五年で仮設住宅はなくなった。一方、3・11から八年半経ったいまも被災地には仮設住宅が残る。大きな理由は、この二十余年で高齢化が急速に進んだからだ。ローンが組める現役世代ならば家が壊れても建て直すなり、多少賃貸住宅の家賃が高くてもそれを負担して避難状態から離脱できる。しかし、五十代、六十代で資産を失った際、それを再構築できる力がある人ばかりではない。死ぬまで避難状態を強いられる人を公助だけで救う体力が、高齢化が進み続ける日本にどれだけあるのか。

避難自体が災害の「胴体」であり人命を奪う。しかし、「防災」を論じるなかで、大規模長期避難を想定した議論を聞くことは少ない。

避難によって、高齢者をはじめ体力がない人は死ぬ。子ども・若者は死なずとも「死ぬほどの負荷」がかかるなかで、肥満や体力不足に陥ったり、精神疾患につながったりして長期的な心身の健康リスクが増して社会生活に後遺症が残る。これは専門家内部では常識になっているものの、社会的共有は明らかに不足している。もちろん避難は、何らかの危険を避けるために発生するものだから、その必要性は否定できない。だが、そこから早期に抜け出す道筋をいかにつけるか、災害の前に個人も社会もともに想定しておかなければ十分な対応はできない。

「想定内」の災害に対応するための課題

二〇一九年十二月号

台風一九号の教訓

二〇一九年十月の台風一九号は、死者九六名、行方不明者四名と各地に甚大な被害をもたらした。

3・11を始めとするこれまでの災害被害が「想定外だったから」とまとめられうることもできたのに対し、台風一九号の被害は、必ずしもそうではなかった。台風の勢力の特異な大きさ・強さは事前に繰り返し伝えられ、避難所が各地に用意された。避難勧告の情報も、マスメディアや携帯電話向け緊急メール速報、エリアメールで細かく届けられた。事後的にわかったことだが、地域ごとにつくられてきたハザードマップで危険が指摘されていた地域が、やはり大きな被害を受けているようだということも明らかになってきている。つまり、かなりの部分が「想定内」だった。

これが「想定外」ならば、「じゃあ仕方ない」とか「想定してなかったお上が悪い」と、責任の所在を不在にしたり統治者に求めたりという落としどころを見出しやすいが、想定内であればそうはならない。かといって統治者ではなく被災当事者の自己責任だということで、話を済ませられるわけでもない。

現在進行形で被災地域の困難は続いているが、今回の災害は「必要な情報・知識が住民の具体的な思考・行動に落ちていく」というプロセスを実現する仕組みの欠如を浮き彫りにした。なぜ避難勧告が出ても避難しない・できない犠牲者が出たのか。ハザードマップを把握しながら対策をしない・できない人がいたのか。ダムの緊急放流のような被害を最小化させるための実行策が周知されていたが、それが何を意味するのか伝わっていたか。これは防災行政のみならず、現代社会のさまざまなガバナンスが抱える課題に共通する。

たとえば、被災して実際に土嚢(どのう)袋に泥を詰める、罹災(りさい)証明書や損害保険の請求書を書くといった経験をしたとき、「取り回しが良さそうにみえる華奢(きゃしゃ)なスコップは、重い業務用のスコップよりも作業効率が悪い」とか、「いちいち被災した時点の写真を撮っておかなければ書類を完成させられない」とか、細かいが先に気付くべきことが見える。

「必要な情報・知識が住民の具体的な思考・行動に落ちていく」ためには、そうした思考・

行動を、事前に経験しうるアウトプットの機会をより多くつくる必要がある。机の下に隠れたのちに避難場所に集合し、多少の消火訓練などをする伝統的な防災訓練も意味はあるだろうが、防災に関する学びの場のつくり方、関心の向けさせ方は、現実を踏まえたアップデートが必要だろう。

住民の思考・行動を三種類に分ける

無論、政府やメディアの役割も大きい。しかし自らの持続性のために、政治が〝集票〟を、メディアが質の良し悪しを問わず〝関心〟を集めることを志向し、その機能をより高度化させていこうとするこの時代、日常生活を送るうえで大衆の興味を惹きにくい災害を（あるいはエネルギーや安全保障も同じ構造のなかにあるだろうが）扱うことには限界がある。

むしろ無理にそれを扱い、興味を惹こうとする過程において、過度に恐怖を煽ったり、惨事便乗型の利権を貪ったりする動きが生まれてきたし、無視できない被害も多い。上から人びとに強引に何かをインプットして課題解決をする方法には限界がある。別の方法も模索すべきだ。

「必要な情報・知識が住民の具体的な思考・行動に落ちていく」うえでは、旧ソ連の発達心理学者ヴィゴツキーの「発達の最近接領域」理論が参考になる。たとえば、住民の思考・行動を整理すれば、（1）ここまでなら住民が自らできる、（2）ここまでは誰かの助言・支援があれば住民が自らできる、（3）誰かの助言・支援があっても住民が自らはできない、という三つの領域に分けられる。

「発達の最近接領域」とは（2）の部分で、人が学ぶべきことを設計する際にはこの（2）に注力すべきだし、（2）を精査して（1）（3）から峻別（しゅんべつ）すべきだ、というのが大雑把な理論のポイントだ。意外と普通のことをいっているように思うかもしれないが、現実には（2）に集中することは簡単ではない。学ばずともできる（1）を形式的に繰り返したり、住民にはどうしようもないレベルの問題（3）をセンセーショナルに報じることに固執したり――。

首都直下型地震、南海トラフ巨大地震への想定は一定程度成熟してきているが、想定内でも起こる被害に対応できる思考・行動を私たちができるようになるまでの道は遠い。

科学技術への楽観と悲観——原子力とAI

二〇二〇年二月号

ウリミバエを根絶させた科学技術

たとえばスーパーの惣菜売り場に行けば、棚の一角にゴーヤチャンプルーが並ぶ風景は珍しくない。沖縄の地元料理の一つでしかなかったそれが、日本全体の日常風景を構成する食べ物の一つとなった背景は、二〇〇一年にNHKで放送された連続テレビ小説「ちゅらさん」や、安室奈美恵、SPEEDなどを生んだ沖縄アクターズスクール出身者の活躍が生み出した沖縄ブームがあったが、それだけではこの日常風景の変化は成立しなかった。

かつては、沖縄のゴーヤにはウリミバエという害虫がつくため本土にもち込むことが制限されていた。ウリミバエはゴーヤやマンゴーなどの実に卵を産み付けて、幼虫が実の内側からそれを食い尽くす。本土に広がれば農業生産への甚大な被害が出ることが想定されていた。

難題を解決したのが、放射線を用いて不妊化したウリミバエのオスを計画的に野に放つ方法だ。不妊化したオスと交尾したメスが産んだ卵から幼虫は孵化しないので、不妊化したオスを放つ作業を定期的に繰り返せば根絶できる。人間の不自然な作為による生態系への悪影響を懸念する人もいるだろうが、そもそもウリミバエ自体、近代化のなかでヒトやモノの移動が激しくなる過程で近隣国から沖縄に入ったといわれる。その点では、元の〝自然な状態〟をとり戻したといえる。いまも沖縄では予防的に不妊化オスを野に放つ作業が続けられている。

筆者の記憶のなかでの最初の沖縄との接点は、一九九〇年前後、沖縄に転校した子の家庭から、小学校のクラスにサトウキビが送られてきて齧らせてもらった思い出だ。いまだにウリミバエを根絶できていない地域もあった時期のことだ。いまや沖縄以外でもゴーヤもマンゴーも生産されているが、やはり生産量トップは沖縄である。サトウキビに限らない沖縄の豊かさが全国に広まったのは意外と最近のことだ。

ところで、不妊化した虫を用いて害虫を駆除する方法は、もともと米国で原子力が急速に開発されはじめた時期に生まれた。放射線を活用するゆえに〝原子力の平和利用〟の一つともされた。原子力といえば発電のイメージが強いが、医療・工業・農業といった非発電分野でも活用されてきたのだ。歴史的に両者は切り離しきれない。科学技術には、人びとの役に立ち歓迎される部分も、人びとに害を及ぼし嫌悪される部分も必然的に生まれる。それらの全貌が見えるのは、ある程度の技術の発達が進んだ後のことになる。

AIが悪用される可能性

昨年、ツイッターで「(自分が経営に関わる会社において)中国人は採用しません」とある東大教員が発言して問題になった。その後、「限られたデータにAIが適合しすぎた結果である『過学習』」の結果、特定国籍の人びとの能力を低いと判断することに至っての発言だったという旨の謝罪をした。この問題を巡る議論は喧しいが、本当に「過学習」なのか、そもそもAIを用いたということ自体が事実なのか、ということは不明なままだ。AIを「言い訳」に使った可能性もあるが、仮にそうだとしても、今後、実際にAIが差別的な判断をし、AIに判断させたことを根拠に悪意をもった人間が社会に影響力を行使していく可能性は意識せざるをえない。

人びとの耳目を集めるいかなる科学技術も、はじめは楽観と理想の眼差しを浴びるなかで発達していく。原子力技術だって、黎明期である一九五〇年代には、いまだに解決しない難題である高レベル放射性廃棄物の処分について「原子力利用の基盤が整備されれば十分解決可能な課題」と科学者たちが楽観するなかで発達していった。

無論、原子力技術は害虫駆除の例のように、もはや意識しないレベルで多くの人の生活と結びついている。一方で、暗部への意識も明確になってきている。AIのみならず、ロボットの発達や遺伝子操作をはじめとする最新の科学技術は、まさに現在、楽観と理想のなかにあるといえようが、いずれそれが悲観と思いもよらぬ現実に変わる瞬間が来ることも、同時に想像し続けることが重要だ。

それはもちろん「一〇〇の期待をしていたものが、思っていたのと違う部分があったから、期待をゼロにする」という極端なテクノフォビア（科学技術恐怖症）に陥ることとは違う。清も濁も併せ呑みながら、その科学技術と社会との健全な関係を探り続ける努力が私たちに求められる。

大衆が民主主義を手放すとき

二〇二〇年五月号

私たち自身が生み出したリスク

新型コロナウイルス問題の核心にある困難は、それが「私たち自身が生み出した問題だ」という点にある。当然、「中国が軍事的意図をもってウイルスを放出して云々」という一部で流布する陰謀論を指してはいない。ウルリッヒ・ベックら現代社会学の泰斗たちが議論してきた「リスク社会論」的な意味で「私たち自身が生み出した」といっている。

リスク社会論的にいえば、現代社会にとって根本的な脅威になるのは「自然が生み出したリスク」ではない。無論、ウイルスや放射線は大昔から自然に存在して、人間社会の脅威になってきた。ただ現代において、その多くが種々のテクノロジーによって無害化や克服されてきた。一方、いま私たちにとって問題なのは「私たち自身が生み出したリスク」だ。

チェルノブイリ原発事故、リーマンショック、3・11などを思い浮かべればよい。ある問題が立ち現れ、拡大し、挙げ句の果てに制御不能になる。自分たちでは根治する手段をもたずに狼狽(ろうばい)する。

グローバルなヒトとモノの流動性をかってなく高めた市場と国家を前提とせずには、生活できなくなった私たち。私たちが欲する利便性、それ自体がリスクになっている。その意味で、リスク社会論が指摘するのは、現代的リスクは（〝自然の脅威〟による旧来型のリスクとは違い）「私たち自身が生み出した」ということだ。

そう捉えたときに、新型コロナウイルス問題は、ここ半世紀ほどの現代的リスクによるグローバルな問題と同一線上に捉えることができるようになり、その特徴や時代背景の違いを検討することもできるだろう。

しかし現状を見るかぎり、そのように一定の距離をとりつつ事態を俯瞰するような議論は深まっているように見えない。むしろ3・11からの数年間がそうであったように、この話題が過剰な科学問題化（ex.専門家の内部対立のスペクタクル化、飛び交うデマ……）と過剰な政治問題化（ex.左派ならこれを政権批判に利用すべき、右派なら政府のやり方を追認すべき……）の罠に嵌(はま)り、議論は白熱していているようでいても根本的な対策や教訓につながらないノイズが多いように見える。

独裁のシステムに依存する大衆の生活

論点は多々あるが、「リスクがつくった独裁」の今後は重要な問題だ。

現代的リスクは、大衆からは「独裁がつくったリスク」と捉えられがちだ。つまり、チェルノブイリ原発事故ならソ連共産党、リーマン・ショックなら金融エリート、3・11ならば日本政府と東電の、現代社会にはそぐわない独裁的体制が根本原因にあったのだと歴史的に総括される。しかし、それは一面の真実ではあるものの、全体を表してはいない。むしろコトの原因は、（私たち自身が生み出しリスクとなった）そのシステムに依存する大衆の生活のなかにこそある。

大衆はシステムエラーを必死に制御しようと、無意識的に、その直後から「自粛（じしゅく）」にせよ「緊急事態宣言」にせよ〝独裁的〟な政治判断や社会的同調圧力を受け入れ、数年からときには十年以上の時間をかけながらある種のリセットと〝独裁〟に自ら向かう。それはマクロなレベル（ソ連崩壊からのプーチン政権、安倍長期政権、トランプ政権誕生）はもちろん、ミクロなレベルでもそうだ。

3・11後の原子力・放射線に関する種々の政治的意志決定・基準のなかには、本来は民主的合意形成が不可欠なのにもかかわらず、超法規的に決定され、いまも不問に付され放置されているものが多々存在する。一度決めてしまった基準や数字は政治的かつ恣意的に解釈・利用され、なおかつその後の政治はそれに過剰に縛られる。それらがいまも残る「風評被害」と呼ばれる経済的損失や差別・偏見の政治的葛藤の根底にある。

人びとは現代的リスクに直面すると、安易に民主主義やそのプロセスを手放す。いま進められてしまっている〝独裁的〟なプロセスが、さまざまなかたちで今後、具体的な弊害を経済や社会に生み出していくだろう。そして、そのしわ寄せは経済的・社会的に弱く不安定な立場にある人びとに集中していく。

しかし、〝独裁的〟に一度決められてしまったことを民主的に覆すことは容易ではない。そこには、膨大なエネルギーが必要になる。「リスクがつくった独裁」による歪みを視野に入れつつ、長期的な展望を描く議論をはじめるべきだ。

危機は脆弱でない部分を焼け太りさせる

二〇二〇年六月号

アフターコロナ、二つの方向性

新型コロナウイルス問題の今後について、3・11をはじめこれまでの世界史的社会危機の歴史を振り返っていえるのは、今後の社会の変化が大きく「格差」と「加速」、二つの方向に向けて起こるということだ。

社会危機が人びとの脅威となるのは、もちろん戦争・災厄(さいやく)・疫病そのものによる直接的な被害によるものもあるが、より大きな被害は潜在化していた格差が顕在化したところに生まれる。社会の脆弱(ぜいじゃく)な部分のさらなる脆弱化とも換言できる。

3・11後の福島では、原発事故由来の被曝(ひばく)を回避しようと子どもたちの行動がさまざまに制限され、子どもたちは屋内に引きこもって遊ぶようになった。その結果、肥満児の割合が全国トップレベルになり、体力テストの結果も顕著に悪化した。

子どもほど回復力のない高齢者の場合、それは生命の危機に直結する。避難生活のなか、それまでの運動習慣や人間関係が壊れると急速に体力を失う。アルコールなどへの依存傾向やＤＶ、それらの前提となる鬱傾向も悪化する。福島県では避難の継続のなかで心身に不調をきたして亡くなった人など関連死者数は二〇二〇年四月現在二三〇六名。地震・津波で直接亡くなる直接死の一六〇五名を大きく上回り、いまも増え続けている。

コロナ禍による擬似的な避難状態が長期化すれば、年齢では子どもや高齢者に、地域的には地方部・過疎地に、経済的にいえば経営体力の蓄えが相対的に少ない事業者、業界にこそ深刻なダメージが生まれる。

一方、話が込み入ってくるのは「脆弱ではない部分」の動向だ。社会危機というと、九〇年代のバブル崩壊後の山一證券経営破綻のように何か象徴的な強者にみえるものが破滅するイメージと強く結びついているだろう。だが現実はより複雑だ。

リーマンショック後、「もはや世界経済の中心としての米国は終わった」と悲観した者は少なくなかっただろう。しかし、シェール革命やＧＡＦＡの台頭があり、たいした時間もかからぬあいだに、何もなかったかのように、米国はその政治・経済・文化的な力量を誇示し直している。トランプ政権誕生や米中対立のような危うさもとり込みながら。

リモートワークによって失われるもの

帝都の機能を高度化した関東大震災後の復興は現代日本の足元を支えている。オイルショックがさまざまなイノベーションを生み、オウム真理教事件や9・11は危機管理体制を強化した。危機は「脆弱ではない部分」を「焼け太り」させる。

危機は脆弱な部分に、カタストロフィ（破滅）を生み出す。その語源はギリシア語のkatastroph＝「倒す」で、まさに脆弱な部分は倒れる。しかし「脆弱ではない部分」は違う。クライシス（危機）は、ギリシア語のkrinein＝「選別」に語源をもつ。危機は必ずしも破滅に直結せず、まず脆弱な部分とその他を選別する。前者は破滅し、後者は変化する。その変化とは近代化の「加速」だ。

近代化とは〝伝統や共同体の崩壊の大きなプロセス〟だ。災害による避難のような大規模な人の移動は地域共同体や民俗芸能を破壊する。一方、若者・よそ者に活躍の場が与えられ、かねてから構想されていたが種々の制約のなかで止まっていた再開発計画が実行に移される。帝都復興も太平洋戦争後の戦災復興も、日本の近代化を加速するうえで不可欠だったことは言を俟（ま）たない。

リモートワークや遠隔教育の進化は会議や講義の場の束縛に宿る権威を相対化し、そこに巣くっていた伝統や共同体を空洞化させる。さらに、テレビ会議の先から子どもの声が聞こえてしまうように、囲い込まれてきたプライベートが解放されつつあるが、この〝公的領域による私的領域の侵犯〟もまた近代化の典型的社会現象にほかならない。

アフターコロナを巡る議論は、これまでの社会的危機の直後にもそうだったように、その不透明さにかこつけた空想的誇大文明論が跋扈（ばっこ）することになるだろう。しかし、それに惑わされ無意味な時間を過ごす余裕はない。答えは場の束縛が弱まってしまったいまもなお、現場にあるはずだ。過剰に悲観する必要はない。そこにはいまより、より効率的でスマートな何かが待っているかもしれない。ただ、当然それは格差拡大と近代化の加速のなかで生まれた犠牲の上に立ち現れるものでもあれば、手放しに楽観すべきものでもない。

高度専門集団の扱い方

二〇二〇年七月号

高度専門集団と政治、民意の関係性

3・11、コロナ禍、検察庁法改正問題。まったく異なる位相にあるように見えるが、共通して問われ続けているのは政治と「高度な専門性と実務遂行可能性を制度的・能力的に独占している集団（以下、「高度専門集団」と呼ぶ）」との関係だ。

原子力、医療、検察といった分野に存在する専門家・実務家らによって構成される高度専門集団は、制度上は政治からの独立性を担保されることはあっても、それを上回る力をもつことはない。だが、現実には政治以上に国民を翻弄（ほんろう）する力をもつこともありうる。

たとえば、3・11の際は「原子力ムラ」と揶揄（やゆ）された原子力業界・行政の特異な体質と、民主党政権との葛藤が浮き彫りになった。それに比すれば、コロナ禍における医療分野の有識者会議などと現政権とは調和しているようにも見えるが、感染症対策による多大な国民負担のなかで感情的な論難も見受けられる。

突如浮上した検察庁法改正問題――検察官の定年延長を可能にする法案の是非の問題は、政権の人事介入による検察への支配に対する懸念から、SNSなどで反発の声が強まり棚上げされた。一方、十年前、厚生労働省局長らを強引な取り調べと証拠の改竄の下で犯罪者にでっちあげようとした障害者郵便制度悪用事件や、断続的に生まれている冤罪事件を思えば、ともすれば検察という高度専門集団に「われらを悪政から救うヒーロー」との眼差しを注ぐ議論はあまりにナイーブだ。

いずれにせよ、共通して背景に見えるのは、高度専門集団と政治との関係の不安定化にほかならない。

大きな社会問題がもち上がるたびに、私たちが高度専門集団と政治の関係を問い続ける作業を無意識に繰り返しているのだとすれば、そこにこそ、正すべき現代社会の綻びがある。政治と民主主義が、高度専門集団の「暴走」のリスクを回避しつつ、適度な「介入」と「独立」のバランスをいかにとるか。さまざまな領域にいる高度専門集団と政治、そして民意のあいだの関係性の最適解が今後も問われていくだろう。

官僚主導・政治主導　それぞれの限界

近年、さまざまな論点が浮上する防衛もまた、高度専門集団が多くの役割を担う。歴史を振り返れば、敗戦につながる日本軍の暴走の原因の一つは、軍の統帥権（とうすいけん）を天皇がもつという前提のもとで政治の介入が阻害されたこと、つまり軍事組織の過剰な独立を許す組織構造にあった。

戦後の軍事的リアリズムなき政治は、軍の暴走を止めるべく介入するより、ナショナリズムに駆られた民意を受け暴走の後押しすらした。やがて生まれたのは国民を代表する政治家が自衛隊を統制する「文民統制」ではなく、国民も政治家も正面から向き合うことを避ける防衛の諸問題に、官僚が自衛官より優位に立ち政治にも関与しながら、全体を取り仕切る「文官統制」だった。近年、その行き詰まりが露呈し、制度改革がなされつつも新たなリスクへの対応力の不足が指摘されている。

これまでのように政治と高度専門集団、そして民意の三者のあいだのバランスを官僚制が取りもつ枠組みが限界に来ている。一方では、その処理能力を超える複雑な問題が頻発するようになり、他方では、社会構造の変化で官僚制自体が不信感と合理化の対象となるなかで、その機能は衰退している。そこを埋め合わせるべく模索される「政治主導」は、官僚主導に比べれば本来の民主主義らしく見える。しかし、政治が高度専門集団を官僚制ほどに巧く、ときに狡猾に活用・統制できるわけではない。その現実の顕在化が、さまざまな政治と高度専門集団、民意との葛藤を引き起こしている。

本来は選挙を通して国民の負託を受けた政治家こそが、政治的な意思決定を進め、結果責任をとり、暴走する者がいればそれを止める立場にあるが、そうなっていない。高度専門集団に政治判断の責任を押し付けたり、その独立性に介入しようにも視野狭窄・場当たり的で収拾がつかなくなったり。かといってこれまで同様、政治に罵詈雑言を浴びせ、極論に依る政治の登場を待望するような民意のみでは、この不毛な反復から這い出ることはできない。

政治と高度専門集団にすべてを丸投げするのではなく、そのあいだに割って入れるような成熟した民意をつくるべく、学び議論し合う困難を私たちは背負わなければならない。さもなければ、ポピュリズムの熱狂に酔いしれ、悪しき官僚制への依存に舞い戻る道くらいしかそこには残されていないのではないだろうか。

「巧遅より拙速」という前提

二〇二〇年八月号

漸騰型と優柔型

人類を襲う災禍からの復興過程は、大きく二つに分別できる。ここでは「漸騰型」と「優柔型」と名付けよう。コロナ禍は後者だ。

どういうことか。地震・津波の被災地と原発事故の被災地とでは根本的に被害の質が異なるのではないか、という議論を聞くことがある。そしてそれは天災と人災の違いだと。おそらく、本質はそこにはない。より根本にある差異は、一方が災禍の直後が最悪の状態であり、そこから基本的には右肩上がりに状況が改善していく漸騰型の復興過程を歩む。片や原発事故は災禍がダラダラ・ジワジワと進行・拡大しつつ、復興も進む優柔型の構造をもつ。

優柔型災禍は、時間という変数の扱い方が漸騰型災禍よりも複雑だ。端的にいえば、漸騰型は災禍からの回復の時間軸は短ければ短いほどよいが、優柔型はそうではない。無理に回復を急げば別のリスクがもち上がる。原発事故ならば、廃炉のリスクは時間軸を意識しながら統制されるべきものであり、そこを顧慮せず拙速に作業を進めようとすれば費用や作業員被曝量が青天井に増大しかねない。コロナ禍においても、感染拡大を速く完全に止めようとすれば、経済活動への被害を拡大させる。複数のリスクを同時に視野におさめながら、アクセルとブレーキをバランスよく踏む必要がある。

しかしながら、多くの災禍は漸騰型災禍であるゆえ、その復興は「何が何でもとにかく速く進めることこそ絶対善」という前提で議論されがちだ。これは、さまざまな混迷の根本にある問題だ。拙速よりも巧遅が求められることもある、という当然の認識が私たちのなかに共有されにくいのである。

この歪みは、「災禍はいつ終わるのか」という問いが多くの人の関心事であるがゆえに生まれている。多くの人はこの苦難の終わりを想像することに希望をもとうとする。あるいはそういう前提のもとコミュニケーションをとる。だが、ここにこそ現実と認識のねじれがある。

終わりが来ないなかで

「いつ終わるのか」。その問いの答えは明確だ。「災禍は終わらない」。たとえば、阪神・淡路大震災で家を失い仮設住宅に入り、被災者向けの公営住宅に移り住み、二十五年経ったいまでも歳を重ね続けている人は存在する。いくら大々的な公的支援がなされても「あの災禍さえなければ、いま私はこうなってはいない」と恨む人は存在する。いくら表面的に街が綺麗になろうとも「あの失われた風景は二度と戻らない」と悔やむ人はいなくならない。無論、大多数の人は時間の経過のなかで、災禍の非日常から離れ日常のなかに戻っていく。現段階でもコロナ禍など無かったかのような日常を送っている人はすでに少なくない。ただ、災禍の完全なる社会的な終わりは来ない。

そのなかでできること、実際に人類がしてきたことは、大きく二つあるだろう。一つは、「災禍は終わらない」という前提を受け入れ、その終わらない部分にいる人を長期的に支える手立てを考えることだ。それは金銭的に解決できることもあれば、承認・充足のような感情面での補完こそが必要となることもある。

もう一つは、社会的に節目をつけることだ。一九二三年の関東大震災のあと、そこからの復興の過程を示すべく日比谷公園で「帝都復興展覧会」が開かれたのは一九二九年のことだった。一九九五年の阪神・淡路大震災の際、当時の総理府が「阪神・淡路大震災復興誌」を取りまとめるというかたちで復興の歩みが振り返られたのは、震災から五年後の二〇〇〇年のことだった。二〇〇二年には震災と防災をテーマにした科学施設「防災未来館」（現「人と防災未来センター」）ができている。

これらは漸騰型災禍の例だが、より混乱が持続化した＝優柔型災禍に近かった原爆投下後の広島において、広島平和記念公園が完成したのは一九五五年。つまり、五年から十年ほど経ったときに、社会的に災禍を振り返る場がつくられ節目がつけられている。無論、いずれの節目も「終わったことにされてたまるか」という一部の人の思いが残るなかにあるが、それでも仮に何の節目もつけずにきたら、災禍の風化はより明確だったに違いない。3・11については、岩手・宮城・福島に復興祈念公園が設けられる動きがここ数年で本格化しているが、これは歴史的にみれば順当だ。五年から十年先、いかに私たちはコロナ禍の経験に節目をつけているのだろうか。

復興五輪が来なかった夏の風景

二〇二〇年十月号

八戸〜北茨城の現在を見て

「復興五輪」が来るはずだった夏。青森県八戸(はちのへ)市から茨城県北茨城市まで沿岸部を巡った。五五〇kmほどの道のりは車で走り続ければ一日で走破できないこともない。ただ、各地に残る3・11の爪痕(つめあと)、そして、「二〇二〇」を迎えるべく周到に用意されてきた諸々を見るために立ち止まることを繰り返した結果、のべ七日間を費(つい)やすことになった。

かつての姿を思い浮かべると、その風景の変貌(へんぼう)には目を瞠(みは)るものがあった。津波被災地における大規模な防潮堤(ぼうちょうてい)や新たな住宅街をつくるために嵩上(かさあ)げされた土地には、九年以上の月日がたった現在も一部では続く工事が施されていた。著名な建築家が携(たずさ)わったり、住民を巻き込み繰り返し行なわれたまちづくりワークショップのうえにつくられたりした町は秩序だっていて、居住者や訪問客の利便性・快適性に可能なかぎり配慮されているようにも見える。

昨年のラグビーワールドカップで使われた釜石鵜住居復興スタジアムは、津波で全壊した小中学校跡地につくられた。福島第一原発事故直後から復旧拠点となったJヴィレッジは、返還・再オープンが実現し、整えられた芝の上で連日子どもたちがサッカーボールを追いかけている。

スポーツ・文化施設には当然のごとくさまざまな海外との交流の痕跡が残され、それは「伝承施設」と総称される広義の災害博物館・遺構でも同様だ。これらは無数の、と形容しても過言ではないほど各地に整備されていて、慰霊碑や防災施設とあわせて新たな「遍路」の拠点になる可能性も見せている。実際、すでに地域で有数の訪問客数を抱えるようになっている場所も存在する。

「癒やし」の断片は何を残すのか

無論、表面的な小綺麗さに目を奪われていては、見落とすものもある。急速に少子高齢化と人口流出が進んだ多くの地域経済・行政の先行きは決して明るいものではない。本来であれば二〇二〇年夏に東京を訪れた観客の一定数がこの地に流れ込み、国内外のメディアとともにその現実に目を向け、その眼差しがポスト復興期の地域の経済的独立への初動負荷を軽減することが期待されていた。しかし、その思いは宙に浮いたまま、夏は静かに過ぎ去ろうとしている。

この巡礼にも似た体験は、博覧会を訪れる感覚と形容できるかもしれない。三陸沿岸道路をはじめとする過疎地、「不便」な地を走る復興道路を辿(たど)ると、3・11がなければこれほど急速に整備されなかった道、あるいはそれに沿ってつくられた「道の駅」など、地域の期待を引き受けた建物に、日本に蓄積されてきた土木・建築の重層的な力が宿っていることを実感する。一方では飛躍的に地域の交通・流通の利便性を高め、他方では流動性を高めすぎることでかえって小都市から大都市への人口や消費の流出を促す「ストロー効果」が正の面でも負の面でも地域再編を促す。同じ高規格道路でも、首都高では見かけないような、軽トラックをのんびり運転する高齢者とすれ違うたびに、そのアンビバレンスを覚えざるを得ない。

伝承施設をまわると、住民自身がスマホなどで記録したものも含めた大量の写真・動画、あるいはプロジェクションマッピングを活用したインタラクティブで「わかりやすい」解説が立ち並び、デジタルメディアと現代人の生活の密接性が実感できる。一方、住民同士でつくった観光パンフレット、かつてあった町並みを再現したジオラマ、高校生が模造紙にまとめた地域の未来像の展示には、ここ数十年、日本中で進んできた地域共同体の崩壊を、住民参画のもとで癒やすべくなされてきた試行の「一覧表」を見た思いがする。気付けば「地方創生」という語も聞かなくなって久しい。その「癒やし」の断片が遠い未来に何かを残すのか、小手先のものだったのかの判断は将来に託されるのだろうかと逡巡（しゅんじゅん）する。

二〇二〇年夏に向けて整備されてきた現代の「奥の細道」にはハード・ソフト問わず、現代社会の技術と知恵の粋が集積しており、それはここ十年ほどの世界の森羅万象（しんらばんしょう）がつめこまれたタイムカプセルのようなものだったと振り返ることができる。

あらためて先の見通せない時代が訪れている。復興五輪というパッケージのなかにつめこまれようとしていたものは過去になり、新たな価値をもちはじめてもいる。現代社会の来（こ）し方行（ゆ）く末を問いかけるその道、とりあえず現状は三密の対極にあるようなその線をなぞることで、内向的になりがちな日本社会の視野を再度拡げていくことができるのかもしれない。

現在のまなざしの地獄

二〇二一年三月号

「まなざし」を論じる社会学

誰に頼まれているわけでもないのに、一日中ずっと、時には数分おきにＳＮＳを確認し投稿を続ける人びとがいる。それで儲かっているとか政治的意図の実現に近づくとか目的が明確ならわかる。しかし必ずしもそうは見えないことも多い。

彼らはなぜ発信を続けるのか。わかりやすい答えとして「承認欲求」という言葉で解釈しようという向きもある。確かにそれは一つの納得しやすく妥当な答えだろう。ただ、承認を供給してくれる場は、他にもいくらでもあるはずで、なぜわざわざ嗜癖的で時に暴力的にもなる場に身を投じようとするのか。

承認欲求とは「まなざし」の問題とも換言できる。「まなざし」のあり方に、その社会の根本的な原理が現れると論じてきたのが社会学者・見田宗介と大澤真幸だった。

見田は一九六八年に発生した十九歳の少年による連続射殺事件を元に、当時の社会が抱える「まなざし」を論じた。青森から集団就職で上京した少年は、暴力と貧困の中で生育した。都会に馴染もうと努力するが、いつも履歴書を求められ容姿を値踏みされる。「こうありたい自分」に近づこうにも「こうであった／ある自分」から逃れられない。この凶悪犯罪の背景にあったのは孤独ではない。「見守り」などという概念で想起されるものとは正反対にある、人の心と存在を刺し殺すような濃密なまなざしの地獄だった。それに怒り、逃れようと苦しむ中で少年は四名の殺害に及んだ。

一方、大澤は二〇〇八年の秋葉原無差別殺傷事件を対比し、「まなざしの地獄」が変質したことを指摘する。それはまなざしの希薄さの地獄だった。同じように青森を出て、各地を転々としながら自動車工場での派遣労働などを続けてきた犯人は、インターネット掲示板でそこに集う人びとと交流をすることに居場所を感じていた。ただ、掲示板を荒らす書き込みを行う者が現れ、仕事場でのトラブルに激昂したなか、犯行予告の書き込みを掲示板に行なったが反応は薄い。「オタクの聖地」と注目されていた秋葉原で通行人らを次々に刺し多数の死者を出した。インターネットが供給してくれるまなざしは、「こうであった／ある自分」を問うてはこない。ただ、それはやはり「こうありたい自分」に足りないものを本当の意味で補完してくれはしない。薄く消え入りそうなそのまなざしは、自分を他の誰とでも交換可能なものとしてしか扱ってくれない。

敵、妄想、陰謀を生み出すコミュニケーション

いま、まなざしのあり方は再度変容したようにも見える。たとえば、「こうありたい自分」への接近の欲望と、それを持つ人びと同士の相互のまなざしとを、効率的に接続するシステムが高度に発展しつつある。ＳＮＳの「いいね」ボタンに象徴されるように、仮初(かりそめ)の承認を誰にでも絶え間なく与えてくれるシステムが社会の随所に実装されつつある。

ただ、そこに生じるコミュニケーションに宿るエネルギーが誰か・何かを応援し守ることに向かうとは限らない。誰か・何かの否定・攻撃に偏っていく可能性を常に抱える。

背景にあるのは、対人関係における不安の発生メカニズムの問題だ。社会心理学において承認欲求は、賞賛を得たいという思いと、拒絶を避けたいという思いとのセットと捉えられ、後者のほうが人の行動に影響を与えやすい。それは前者が人前で行動するときに生じる不安を下げるのに対して、後者はそれを強く呼び起こすからだ。つまり、承認欲求が前面に出る場において、拒絶回避欲求を持つ人、すなわち、自分の言動がこの場で異論として扱われる

のではないかと躊躇（ちゅうちょ）する人は撤退し、賞賛を得ることが明白な議論だけが顕在化することになる。

現代社会の「まなざし」は、拒絶されるリスクを極限まで下げたコミュニケーションを過剰に活性化させる性質を持つ。異論や違和感を与える者の言動を相互監視的に挫（くじ）き合い、純粋で単純で強くある言動ほど実行に移され承認を得られる。その構図は外部に敵をつくり、自分たちの中での反証不能な固有の妄想を膨らませることと常に接続している。現代社会の随所に生まれているまなざしが、異様な言動と陰謀を生み続ける場ばかりを際立たせているとするならば、それは地獄への手押し車だといえよう。もはや自分で自分がなぜそんなに必死になっているのかもおそらく見失っているだろう、絶え間ない発信に急（せ）き立てられる人びとはそれに気づいているのだろうか。

第二章

メディアが生んだ盲点、メディア自体の盲点

グラモフォン
写真提供：Lehtikuva/時事通信フォト

「post-truth」と反知性主義のなかで

二〇一七年二月号

「post-truth」を生んだ普遍的な社会構造

英国のオックスフォード英語辞書が二〇一六年の言葉に「post-truth」を選んだ。「ポスト～」を「～以後」と訳すことの多い私たちにはわかりづらいが、「ある当然の前提から脱したあとの」という意味だと理解すればよいだろう。真実・事実を当然の前提とする状態から脱してしまったあとの世界に私たちは生きている。英国のEU離脱や米国のトランプ次期大統領選出がもたらした私たちの慌てふためきの背景を抉り出す言葉だ。

「メキシコとのあいだに壁をつくる」「EUから抜ければ移民はいなくなる」などという話を真に受けて社会が動く。これは英米の二国に限った話ではあるまい。3・11以後のエネルギー問題、福島問題を扱ってきた筆者の立場からいえば、これは日本にも当てはまる。日本では先行して post-truth politics や post-factual science が猛威を奮ってきた。悪意をもったデマゴーグが経済的・政治的利益を求めて原発や放射線に不安を抱える大衆を扇動して事実を捻じ曲げながら利益を得る姿。それに惑わされ人生が崩壊した人もいるだろう。

しかし、専門家はそれを止める責任を放棄し、マスメディアは被害拡大に加担しさえした。「有識者」としての既得権益をもつ者のなかには、人びとの敵愾心を煽り、時間とルサンチマンを持て余した人びとが糾合される。世論は熱狂と党派性のもとで分断されるのみ。

被害を受けるのは大多数の冷静な議論を続けたい人びとであり、彼らは本来あるべき公論を熟成させる機会を失う。そして、社会の不安・不満はさらに増大し、タコツボのなかでの暴力的・排他的な言動がバブルのように膨らみ続ける。

「post-truth」先進国・日本の惨状を踏まえれば、二〇一六年の事件には驚かない。これは、世界的・歴史的に普遍的な趨勢だ。

まだ、「post-truth」がいかなる概念なのか議論は深まっていない。ただ、背景に、先進国に普遍的な社会構造があるのは確かだろう。つまり、一方に、インターネットの発達をはじめとするメディア空間の変容と情報化があり、他方に、グローバル化のなかで進む先進国における分厚い中間層の解体と新たな格差の出現がある。自由・公正・弱者への配慮といった普遍主義的な理念に沿った「ポリティカリーコレクト」な言説なのか、あるいは、それに反するヘイトスピーチや宗教原理主義など特殊主義的な理念に沿った言説なのか。

いずれにせよ、そのコミュニケーションで重視されるのは「そうだよね！　いいね！」という共感の可能性の有無でしかない。ソーシャルメディアなどで自らが情報の発信者になる権利を得ても変わらない「社会を誰かに委ねざるをえない感」を少しでも拭おうというエネルギーが原動力となる。科学的実証性、理念追求の過程で陥る暴力性の吟味は不問にされる。本来そこを追及する役割を果たしていたマスメディアも、マスへの訴求力を失い、かつてほどの経営基盤をもてなくなりつつある現在、客におもねる。客が求めるネタを、供給することに軸足が置かれる。

「post-truth」が終わる理由がない

日本では、「post-truth」に先行して、「反知性主義」という言葉が流行（はや）った。これは、国内においては、少なからぬ「有識者」が安倍政権批判の目的のために誤用・濫用したためその意味が十分に伝わらぬままに消費されてしまった感があるが、本来の意味は、ただ「知性がない、バカだ」と誰かを罵倒するための概念ではない。

「データ・実証性のような知性的な判断を重んじる立場から離れ、直感・情緒を重視しながら既存の体制を相対化する立場」を指す。英米ではその相対化の作業が相対化にとどまらず、実際に反体制側から体制側へと立ち位置を移してしまったわけだが、一足先にあった日本における「反知性主義」概念の流行は、「post-truth」を予期して生まれた社会現象と解釈可能だ。

「post-truth」のグローバルなうねりがこの先、途切れる理由は現状では見当たらない。仮に、世界のどこかで「post-truth politics」が続けられた結果、何らかの破滅的な事態に至ったら状況が変わるのではという期待もあるが、実際は、さらなる「post-truth」の風潮につながるだけなのかもしれない。いますべきなのは、これからも続くこのうねりのなかで溺れそうになりながらも、地味に見える「事実を積み上げる作業」を淡々と続けることに違いない。

「世論調整」のテクノロジー

二〇一七年七月号

政権支持率に意味はあるか

政権支持率が下がらない。

森友学園から加計学園に軸足が移りつつある首相周辺の口利き疑惑。あるいは南スーダンでの自衛隊の日報の存在が明かされなかった問題。そして、「共謀罪」法案のテロ等準備罪をめぐる議論。それぞれに、財務省、文科省、防衛省などの関与が疑われ、十分、派手なスキャンダルにもなりうるテーマだった。野党もマスメディアも徹底的にあらを探し、対立構図をつくった。しかし、政権を揺るがすほどの結果にはつながっていない。

安倍政権成立以降、野党やその支持者は国会前のデモに集う人びとと「連帯」してみたり、法案審議のなかでプラカードを掲げたり、いままでになく踏み込んだ野党協力をしたりとできる手は打ってきた。しかし、いずれの策も、一時的に政権支持率が微減すること自体はあったとしてもそれで終わり。むしろ、民進党の支持率が下がる傾向には歯止めが利かなくなっているようにも見える。一方で、憲法改正への賛否を問う世論調査の結果を見れば、改正へのハードルはゆっくりと下がってきているようにも見える。安倍政権はきわめて絶妙な政権運営を長期にわたってこれまで続け、今後も続きそうだ。

おそらく、安倍政権にとって最も大きな敵の一つであるインテリリベラル層は、政権のタカ派的なイメージを嫌悪しているといえる。だがそのイメージは集団的自衛権を盛り込んだ安保法制の施行後は表面に出る機会が減り、復古主義・国粋主義的な要素は森友学園・籠池（かごいけ）泰典（やすのり）前理事長をスケープゴートにして消費し切るなかで中和され、これまでの葛藤の根源にあった角が取れたように見える。

この現実への賛否は分かれる。政権支持率が下がらず維持されているのは、基本的には投票行動に至る有権者の多数派が積極的であれ消極的であれ、政権の方針と実績とを許容しているということだ。経済政策はこれまでのなかでは悪くない、代わりになる政権のイメージが湧かないなどと。一方、この現状に強い拒否感・嫌悪感をもつ人もいる。そのなかで、マスメディアは頻繁に世論調査を繰り返し政権支持率を公表する。ここにいかなる意味があり、社会的な効果が生まれているのだろうか。

「正当化の梃子」

ピエール・ブルデューというフランスの社会学者がいる。社会学の教科書があれば必ずその名が出てくる重要な理論家だ。彼は世論調査について、「その根本にある効果は全員一致の世論があるという理念をつくり出すことで、政策を正当化し、社会に基礎づけることにある」という旨の指摘をする。つまり、「世論が推しているから正しい」のではない。「『世論が推しているから正しい』という人びとの感覚を自らの主張の正当化の梃子にできる」ことにこそ世論調査の根本的価値があるというのだ。普通のことをいっているように思う人もいるだろうが、多くの人が普段から意識していないことでもあろう。

この「正当化の梃子」は、過去には、マスメディアや市民社会にとっての武器として使われることが多かった。たとえば、二〇〇〇年四月に誕生した森喜朗首相が、党内での盤石な基盤にもかかわらず一年で退陣したのは、一〇%を切るほどにまでなった支持率の低下をマスメディアが徹底的に可視化したことが大きく作用した結果だった。決定的なスキャンダルがなくても政権を潰せるという成功体験がそこにあった。

しかし、その後はどうか。むしろ政権の側が「正当化の梃子」を利用する歴史が続き、いまに至る。あの小泉政権、民主党政権誕生直後のドラスティックな動き、そして、外交・軍事や治安維持など葛藤の多い法案を通し続ける安倍政権。その流れを俯瞰すれば、政権支持率をはじめとする世論調査という「正当化の梃子」は政治運営の主要なテクノロジーとして政治に組み込まれ、高度化し続けているのがこの十五年ほどだといわざるをえない。世論調査を横目に「世論調整」を続ける新たなモデル。かつてならば、業界団体、圧力団体に目配りをしながら「世論調整」をしていたが、もはやそれは旧モデルだ。

旧モデルの時代には、世論調査による「正当化の梃子」の主導権はマスメディアや市民社会の側にあっただろうが、いまやかつての時代の成功体験にしがみつき世論調査がこうだかららいまの政権はダメだという短絡的な議論を続けるほど、政権運営は安定するという逆説的な構造がある。下がらない政権支持率の背景にある「意識調整」のテクノロジーの発展を直視するなかで、生産的な議論を進める余地をつくる。その方策を探る作業が、私たちに求められている。

公害2・0

二〇一八年二月号

「村中タブー」の背景

新たな「公害」が人命を危機にさらす時代が到来している。あなたや家族・友人が、その被害者になり命を失うかもしれない。

具体的な話をしよう。先日、英科学誌『ネイチャー』などが主宰するジョン・マドックス賞を日本人医師・村中璃子（りこ）氏が受賞した。村中氏は、子宮頸（けい）がんを予防するためのワクチンが海外・先進国において広く接種され罹患（りかん）状況改善の途上にあるなか、それと逆行する日本の異常さを追ってきた。子宮頸がんは、二十代、三十代の女性を中心に、国内で年間一万人に発症し、三〇〇〇人が死ぬ。ワクチン接種はこれを予防する。ところが近年、国内での接種率が七〇％から一％未満に急落した。村中氏は、背景にあるニセ科学、経済的・政治的利権、その思惑のなかで翻弄される被害者を取材してきた。

この賞は世界的にもっとも権威ある科学誌の一つ『ネイチャー』が、困難や妨害に抗いながら人びとのための科学的理解を広めた個人を表彰するものだ。国内大手紙でも少しずつこの受賞と村中氏の仕事が紹介されるようになってきたが、腰が重くも見える。じつは、ここまでマスメディアのなかではある種の「村中タブー」があった。

背景にはいくつかの要因がある。一つ目は、このワクチンを打つと体調不良になるかのような「科学的エビデンスらしきもの」が存在するということ。二つ目は、その「被害者」だと声を上げる人びとがいること。三つ目は、両者を祭り上げ異論を挟む者が出てきたら、自らの利権を守るためにあらゆる手段を使って言論を弾圧する活動家や商売人が「支援者」として存在するということだ。「エビデンスらしきもの」をジャッジするリテラシーがあり、「被害者」の存在に疑義を呈することを「弱者いじめ」だと見られないように根気強く説明し、そう見せるよう印象操作を図る「支援者」による訴訟や脅迫・嫌がらせに耐える神経の太さが揃わないと、この問題をいっさい語れない構造が存在する。村中タブーはその空気のなかで生まれていた。

甲状腺がん検診問題にも共通する入れ子構造

村中氏は、「エビデンスらしきもの」が恣意的に操作された研究によることや、被害者の体調の変化はワクチン以外の要因によって起こっていることを取材と公正な科学的エビデンスを基に明確に指摘してきた。だが、訴訟を起こされ、活動家やニセ科学を見抜けない愚かな知識人の妨害でいくつもの仕事を失った。

科学者として、ジャーナリストとして当然のことをやったまでだ。いまさら周囲から「本当はそう思っていたんだ、言ってくれてありがとう」と拍手を送っても遅い。本来は村中氏以外にも何人もの科学者がタブーに挑むべきだったのだから。

現状は、ワクチン接種の再開まで十年かかり、その間、一〇万個の子宮が摘出される危機に瀕していると村中氏は言う。当然、死者も数万人単位で出ることが想定される。公害・薬害の歴史を振り返っても類を見ない規模の人命が失われる。

旧来型の公害や薬害は、「人体への被害に気付かず、気付いたあとも一部の人の利権のために事実を隠蔽して大規模な健康被害が生じる」構造をもっている。しかし、この問題はもう一つメタな構造をもっている。つまり、「『人体への被害に気付かず、気付いたあとも一部の人の利権のために事実を隠蔽して大規模な健康被害が生じる』ことへの不安や、それを利用する人の利権のためのイメージ操作により、大規模な健康被害が生じる」という入れ子構造のなかにある。

これから失われる人命は、薬害・医療過誤と同様の、行政・専門家の判断ミス、あるいは多くの人が内心ではそれに気付いていても放置していることによる新たな「公害」だ。「公害2・0」と名付けよう。

福島第一原発事故後に福島で行なわれている甲状腺がん検診でも、不用な手術によって自由に声が出なくなり、ホルモンを体内でつくれない障害が残る子どもが大量に生まれようとしている。そこには同様の構造が存在し、これも公害2・0の一つといえる。

この公害2・0は、これまでの公害・薬害・医療過誤と違い、明確な加害者の特定が難しい。一義的にはニセ科学を流布する者や「支援者」が加害者だが、それは「空気」をつくったものの、実際の意思決定や加害行動に加わったわけではない。個々の「加害者らしき主体」に十分な責任を問える蓋然性は低い。人命と子どもたちの未来に直結するこの問題、より深い議論がなされるべきだ。

誤報問題の裏にある力学

二〇一八年四月号

フェイクニュースへの猜疑心

「マスメディアの誤報」が社会問題化することは、いまに始まったことではない。マスメディアがデマやそれに類する偏った情報を流してしまい、社会を混乱させたことなど歴史上何度もあった。しかし近年、SNSの登場や米国のトランプ大統領がたびたび口にすることで広まった「フェイクニュース」への猜疑心（さいぎしん）が人びとのなかに生まれ、「マスメディアの誤報」を取り巻く議論は変化しつつある。

たとえば、かつてだったら誤報なのか否かの論争になっても、言論には言論で対抗するという流儀があったであろうところでも、なりふり構わずすぐに訴訟に出るような動きも見られる。私の身近なところでは、二〇一四年の吉田調書事件が典型だった。『朝日新聞』が「福島第一原発事故直後、東電社員が現場から逃げ出した」という趣旨の記事を拡げ、それを誤報と批判するジャーナリストの門田隆将氏を訴えようとした。だが結局、誤報だったことが確定し社長の首がとんだ。

この件に限らず、「誤報」にまつわる論争が罵り合いの様相を呈しているように見える。鷹揚に構えていられない必死さの背景には、マスメディアがかつてほど安定した経営をできなくなってきた経済事情もあるだろうが。

しかし、いうまでもなく誤報問題の要諦は、誤報なのか否か、事実を冷静に見て議論して食い違いを正す努力をすることであり、仮に誤報だったならば、なぜ誤報をしてしまったのか反省し過ちを繰り返さないことでしかない。情報の受け手として、そのようなまともなプロセスが取られる土壌の必要性を認識し、要請し続ける必要がある。

「MICE」を応用せよ

とはいえ人間、冷静になれなくなる瞬間もあるだろう。誤報問題を目の前にしたとき、客観的に両者の背景を読み取るヒントが、安全保障論におけるインテリジェンス（諜報）に関する議論にある。それは「ＭＩＣＥ」と呼ばれる理論モデルだ。

これは「人はなぜ敵方のスパイになるのか」、つまり「自分の利益にならない、不利益にすらなりえる情報を他人に与えるようになってしまうのか」という問いへの答えだ。

答えは大きく四つある。一つはカネ（Money）。経済的利益を得られる見返りに所属組織を裏切って敵に情報を渡す。二つ目は思想・信条（Ideology）。政治的な思惑や信仰の一致から共鳴して仲間の不利益になることも厭わなくなる。三つ目はすり合わせ（Compromise）。隠蔽したい自分のミスをちゃらにできるとか、一度言ってしまって引っ込みがつかない状態から逃れたいとか。四つ目は利己心（Ego）。目立ちたい、承認欲求を満たしたい、嫉妬心を抱いてしまう目障りな人をつぶしたい。

これらの頭文字を取って「ＭＩＣＥ」だ。たしかに、そういわれるとスパイでなくとも、身の回りで不合理・極端な言動に走る人の背景を網羅的に示してくれている。

現代社会における情報や議論の歪みに抗うには、その背景にある力学を見抜く必要がある。その点、このＭＩＣＥはさまざまなことに応用可能性をもっているといえるだろう。

たとえば、ある情報を精査する際、その情報の送り手、議論の話者は、何らかの思想・信条に囚われていないか、何か負い目があってそれをすり合わせるために強弁しているのではないか。そんなふうに考えると歪みを補正して見ることができる。

注意すべきは、自分自身が偏ったものの見方に嵌り込んで視野狭窄になっているときに、この理論を使うと、陰謀論的な思考に嵌り込みやすいということだ。つまり、根拠もなく「あいつは陰で悪意をもった組織のカネをもらっているからこう言っているに違いない」「あいつは裏でこんな偏った思想に嵌っているから私を攻撃してくるんだ」などと言い出すと「実は、世界を支配する悪者が裏で操作している」などという陰謀論の類いに取り込まれる。

ただ逆に、陰謀論者を見抜く際には有効だ。根拠もなく裏で動くカネ、思想・信条、負い目のすり合わせ、利己心を言い募る形で、誰か何かを攻撃するような言説には、「その根拠や、それが言説を歪めている証拠は？」と問えばよい。それがなければ陰謀論であり、切り捨ててよい。

情報との付き合いは加速度的に難しくなる。誤報問題を見掛けたらその裏にある力学をあぶり出す練習をすることで、情報・議論の本質を見抜く力を鍛えることができるだろう。

ポスト「貧病争」の時代へ

二〇一八年十一月号

ハラリの功績

世界的なベストセラーとなった『サピエンス全史』の著者であるユヴァル・ノア・ハラリの新著『ホモ・デウス』の邦訳版が二〇一八年九月に日本で刊行された。英国から二年遅れではあるが、日本の今後の社会状況を見通すうえでも不可欠な内容が含まれている。

本書で示されている問いと答えは意外に単純だ。問いは、ポスト「貧病争」の世界で人類は新たな敵をどこに定めるのか。答えは、死なないこと、個人の幸福感の確保、生殖の統制の三つだ。

これまでは「貧病争」、つまり貧しさや飢餓、伝染病・難病や戦争・争議が大量の人命を奪ってきた。しかし、いまや餓死よりも栄養過多による生活習慣病が、感染症よりも老衰が、争いよりも自殺が、人の命を奪う社会になってきた。無論、貧病争が完全になくなったという話ではないが、かつてとは比べ物にならないほど人類の敵としては弱体化し、むしろ「新たな敵」への対処に私たちは日々、苦闘している。

宗教も政治や経済も、あるいは文化も、貧病争との戦いのうえで発達してきたといってよい。有史以来、現代に近いところでもそうで、たとえば創価学会をはじめとする新興宗教や社会党・共産党、その関連団体が戦後日本で組織拡大した時期には、それらが貧病争に直面する人びとを信条・思想という点のみならず経済・社会基盤として、居場所として包摂していく機能を果たしていた事実は、多く指摘されてきたことだ。

しかし人類があまりにも長く付き合ってきたこの問題は、いまや優先順位が下がっている。皆がぼんやりと感じているその現実を、端的に指摘したのがハラリの功績だ。現代日本における一部の政治家・識者のなかには、「国家権力は貧しい人・身体が不自由な人を放置し、戦争を起こしたがっている」とペダンチックに言い募れば、己への支持・共感を得られると考えているように見える者もいる。しかし、もはやそんなアジテーションにリアリティをもつ人は存在しない。もしも存在するとすれば、よほど特異なバイアスをもっているか、リアリティがないのになんらかの別な背景のもとで盲信しているだけか。いずれにせよ、そんな時代錯誤な言論に引導を渡すのが、ハラリの議論だともいえる。

次世代の誕生を管理する時代

では、これからの私たちにとって何が敵なのか。

まず、死なないこと。「人生百年時代」は地球上で普遍的に起こっており、長寿を支えるテクノロジーも社会制度も、発達が見込まれている。百歳といわず、さらに寿命は伸びうる見通しがたっている。

ただし、寿命が伸びても解決しない問題が浮上する。長く生きたからどうした、という感覚も生まれるだろう。既にみずから命を絶つ人が少なからず存在するのは、人生を通して幸福を維持することの困難を示している。しかし、幸福感のコントロールも現代においてさまざまなテクノロジーが発達しつつある。実際、日本人の幸福感は、しばしばメディアが悲壮感とともに現代の不幸・頽落(たいらく)を煽り立てるのに反して、改善し続けている。

不死・至福に限りなく向かおうとする人びとが最後に向かうのは、どんな次世代が生まれてくるのか生殖や遺伝子に対する管理だ。それはつまり、社会のあり方そのものの管理への介入につながる。話としてはSFであったり、生命倫理分野であったりと、長らく議論されてきたテーマであるが、いよいよそれを裏付けてしまうテクノロジーの発達が加速してきている。本書でも以前に触れたが、近年広く行なわれだした「新型出生前診断（NIPT）」では、胎児に先天性疾患などがわかった際、九六・五％の親が中絶を選択する現実がある。

貧病争という敵に対しては、政治や国民・国家が向き合い、解決をはかってきた。経済の発達もそれを支えた。しかしポスト貧病争の敵に対して、政治ができることは明確ではない。むしろ、これからは政治の下部にあったテクノロジーに解決を委ねなければならない。同時に、そのテクノロジーを利用できるかどうかの距離感、つまり死ににくいか、幸福に生きられるか、いかに理想的な生殖をするのかといったことには、いま以上に個人ごとの経済的格差が大きく反映されていくだろう。

この先の未来がユートピアなのか、それともディストピアなのかはわからない。ただ、その未来が既に始まり、これから加速していく事実は多くの人が知るべきだろう。

カルトメディアとシャープパワー

二〇一八年十二月号

「小さなカリスマ」に支配される世界

〝自分の意見を主張している〟という人の大半が、結局は他人の主張の受け売りばかり。しかも、その「他人」とは感情的かつ攻撃的な言葉を吐き続けるごく少数の「小さなカリスマ」が占めている。事実に立ち返り、冷静に議論する者たちの声はかき消されて排除されている――。

そんな現実を解き明かしたのが、二〇一八年八月、科学雑誌『PLOS ONE』に公表された論文「福島第一原子力発電所事故後の半年間における、放射線に関するTwitter利用とインフルエンサーネットワークの可視化についての分析調査報告書」だ。福島第一原発事故とTwitterを対象に分析した論考だが、現代の言論構造に普遍的に見え隠れする特徴を抽出している。

原発事故直後、情報が錯綜するなか、政治・行政や専門家、マスメディアへの不信感が増し、何を信じてよいかわからず混乱した人びとの一部はSNSに向かった。大規模複合災害がSNSを重要な情報インフラとして、社会的地位を高めたことは確かだ。「炎上」を繰り返しながら、良くも悪くも「SNS的なるもの」は単体として存在するものから、より社会のさまざまな部分と癒着する形で存在するようになってきた。

もちろんこれまでにも、社会にインターネットが根付くなかで「エコーチェンバー」や「フィルターバブル」といわれる、一部の極端な主張が過剰に伝播し、自分が見たいものしか見ることができない社会現象が生まれつつあるとの指摘はあった。しかし、この論文が注目に値するのは、3・11という世界史的事件を事例として深く切り込むことで、

1）一カ月足らずで、悪貨が良貨を駆逐するかの如く、感情的・攻撃的な「カリスマ」の言葉が言論空間の主導権を握り、固定化するスピード感

2）二五〇〇万件のツイート・リツイートのうち、四〇％を影響力のある上位二〇〇アカウントが占めたという言論の寡占・絶対主義的状態

3）そこにおいて、伝統・権威ある大手媒体や公的機関の発表が、個人名で活動する発信者に容易く負けていく信頼転覆の構図をあぶり出したことにある。意図してインターネット

を狡猾に使うこと、つまりＳＮＳに代表される一見言論の自由・公平が大前提の言論空間を隠れ蓑（みの）とするなかで、ある思惑に沿った一定の言論の寡占・絶対主義的状況と、その言論構造の固定化を実現する道筋を描き出すことが可能になっていることを示している。

感情的・攻撃的な意見を表明し続ける少数のカリスマ（一〇〇人、二〇〇人でよい）を立てるとともに、民主的な議論の場を担保してきた旧来権威への信頼転覆を狙えば、そう時間をかけずに事実や冷静さなどを人びとの視野の外に押し出したカルトメディアをつくることができるのである。

ソフトでもハードでもない力

無論、これはあくまで理論上の話にすぎないし、３・11という特殊な状況だからこそ起こったことだともいえる。ＳＮＳにもいろいろな種類・性質があり、人びとを助けてきた効用、とくに災害時に大きな成果を出してきたことも疑いようはない。

しかし、その性質を熟知したうえで、民主的な議論の場をハッキングし、言論誘導・弾圧を行なうような戦略を立てる悪知恵を働かせる者が生まれかねない状況があることは指摘せざるをえない。

ここにおいて、現代の政治・社会を動かす要因として「シャープパワー」がより重要になっていることをあらためて意識すべきだ。

シャープパワーとは、軍事力・経済力などのハードパワーでも、文化的魅力をベースとしたソフトパワーでもない形で、敵対する勢力を弱らせ、統制する方法として米国のシンクタンク「全米民主主義基金」が名指した概念だ。ロシアがフェイクニュースを用いて、米国選挙に介入した疑惑が象徴的である。民主主義を前提とする国の議論を混乱させ、誘導することを通して内政・社会に打撃を与える方法であり、軍やカネが動くハードでもなく、民衆の好意・共感が動くソフトでもなく、言葉を動かし静かに鋭く思惑を強制する。

中国も関係を深めたい国に対して、一方には経済のアメを、他方には言論の統制というムチを見せながらシャープパワーを駆使しようとしているともいわれる。しかし、そういう国家間の関係の問題のみならず、さまざまな場にこのシャープパワーを巡る闘争の爪痕はすでに見えてきているし、これからもますます現れてくることになるだろう。

「音」のメディアの重要性

二〇一九年一月号

ほとんど撮れる場所がない

ここ三年ほど、福島第一原発の内部を継続的に取材している。動画カメラを持ち込みその変化を追っているのだが、映像を撮るだけでもいくつもの困難に突き当たる。

最も大きな困難は、核セキュリティ上、映して第三者に公開してはいけない被写体――テロリストの侵入を防いだり、核物質にアクセスする経路を知る手がかりとなったりするものなど――がそこかしこにあり、撮れる構図が極めて限られてしまうことだ。ほとんど撮れる場所がないといっていいぐらいに制限がかかっているといっても過言ではない。

敷地面積で三五〇万平方メートル、東京ドーム七五個分に相当する福島第一原発だが、実際、私たちがテレビや新聞で見る「いまの福島第一原発」の映像・画像は、じつはいずれも極めて似通っている。背景にはテロ対策という明示されない文脈があるが、意識的に見ようとしなければ、「見えないところで行なわれている選別」に気付くことは難しいだろう。

私たちの身の回りには、テロ対策に限らず、さまざまな背景のなかで選別され、ときに過剰なまでの解釈をつけられた〝切り取られた現実〟が溢れている。にもかかわらず、眼前に現れる映像・画像、あるいは言葉が〝バイアスのかかっていない現実そのもの〟であるかのように錯誤してしまう。現実を認識しているつもりになるのは簡単だが、実際に現実そのものを認識することに接近するのは簡単ではない。

選別と解釈と饒舌さの強制

ドイツのメディア論の大家、フリードリヒ・キットラーには『グラモフォン・フィルム・タイプライター』という著書がある。グラモフォンは蓄音機、フィルムは映画のことで、タイプライターと合わせて二十世紀に広く普及し、社会を変容させた。すなわち本書は、音・映像・文字、三つのメディアについての分析の書だ。

多岐にわたる論点のなか、興味深いのは現実を伝えるメディアとして、映像でも文字でもなく、蓄音機＝「音のメディア」を示したことだ。

「映像こそが、最も現実を私たちに印象づけ衝撃を与えるのではないか」とか「文字で克明(こくめい)

に、論理も情緒も交えながら記述することにこそ現実を包括的に表しうるのではないか」と、私たちは直感的に感じるかもしれない。しかし、映像メディアも文字メディアも現実を表してはいない。映像はそこにあるものを徹底的に切り取り、拡大したり縮小したりするなかで、つまり選別のなかで成立する。また、文字に表されるものには、必然的に書き手の解釈が入ってしまう。同じものを見ても、人によってまったく別に表現されることは日常的にあるとおりだ。

選別を繰り返すことであるイメージをつくり上げるのが映像メディア（映画）であり、眼の前の曖昧なものを言語化し、シンボルに仕立て上げるところに文字メディア（タイプライター）がある。対する蓄音機は、情報を受け、送るとき、そこには選別も解釈も伴わない。グラモフォンは、そこにある現実をノイズも含めてありのままに捉え、遺す。

キットラーが示唆した話を有り体にいえばこのようになる。

二十世紀のメディアだったグラモフォンもフィルムもタイプライターも、現物を日常のなかで見る機会はなくなったが、二十一世紀になって、それらの特性をより進化させたメディアが私たちの身の回りには用意されてきた。いま、私たちは、一方では映像が選別した現実（の偏った一部）を繰り返し見せつけられることに眼がくらみ、他方では、現実の一部をとりあげ過剰な解釈を偏執的に続ける文字・言葉に酔わせられ、見るべき現実を見ることなく、しかし現実を知ったようなつもりにだけなってはいないか。そして、どこに向かうべきか見失ってはいないか。

起きてから寝るまで、眼前を飛び交う映像や文字の流動性が極限まで高まり、誰もが饒舌(じょうぜつ)であり続けなければならないかのような環境に身を浸すなかで、自分で考えているつもりが、いつしか環境に考えさせられる、語らせられるようになっている。もしそうなのだとすれば、一度立ち止まる必要があるのかもしれない。

最近、これまで福島第一原発で撮影した映像を再生しながら、その音のもつ意味の豊潤さに気付いた。思い返せば、映像や文書によらず、遺っている歴史にふれる機会は限られている。福島第一原発の記録の作品化を近々する際には、選別と解釈から距離をとった音の可能性を追求してみたいと思っている。

エンドステート（あるべき最終状態）を語れ

二〇一九年三月号

完成度の高い小説『平成三十年』

堺屋太一『平成三十年』は一九九七～九八年にかけての新聞連載をまとめた近未来小説だ。当時における「二十年後の未来」を描こうとする試みは、阪神・淡路大震災やオウム真理教事件を経験し、山一證券破綻に象徴される時代の変化を横目で見つつなされたものだ。

いままさにその「未来」に到達したあとに読むと、明らかに現実離れした点がありつつも、細部の予測が的確なことも多く、驚かされる。インフレが進み、物価や給料が上がるとともに一ドル三百円台まで円安になっているというような経済予測こそ実際との乖離（かいり）は大きいが、少子高齢化による労働力不足や社会保障負担増と消費税増税、晩婚化・少子化、かつてのニュータウンの住民の高齢化、空き家問題、自動車産業の苦境とグローバル化やハイブリッド車の普及、そして情報化による生活インフラの利便性の向上やインターネット文化の成立など、二十年前に考えたものと思えば細部までよくできている。

当然、当てずっぽうな予言ではない。そのときすでに見えていた傾向や計画を一定程度意識しながら創作していったのだろう。「未来予想本」自体はいつの時代にも、さまざまに刊行されていて珍しいものではなかろう。しかし、それらと並べてみても小説の体裁をとりつつ、多角的に未来に切り込む本書の完成度は高いように見える。堺屋氏は本書を書くにあたり「平成の終わりごろを予測しよう」と明確に意識していたとも述懐しているが、本当に平成三十年が平成の終わりごろになってしまったという点も含め、あらためてその想像力に感心する。

構造的欠陥を改善するために必要なこと

では、いまから同様に平成の次の時代の終わりごろを予測することが可能かというと、なかなかややこしくも見える。

人口動態や医療・福祉、地域社会がどれだけ困難な状況になるのかというような議論は、ある程度想定ができる。しかし政治・行政・産業それぞれの分野において「失われた二十年」で壊れるべきものが壊れきったなかで、もはやこのあとに何が壊れるか、壊れたあとに再構築されるものが何なのかは見えづらい。冷戦時代に使われた分析枠組みの延長で考察可能だった国際政治・経済の見通しも立ちづらくなっていることはあらためていうまでもない。

未来への想像力をもつことが難しくなっている。それが欠けたなかで何が起こっているのか。堺屋氏は、先述の書の冒頭の章に「何もしなかった日本」というタイトルをつけている。これはまったく何もしなかったことを指すわけではない。むしろ、景気対策や外交など主観的には何かとてつもない労力をかけてもがいてきたが、かつてのように努力の成果が十分に出るわけではないという感覚のなかにある。そして客観的に見ると、到達したものが不明確で、何もしなかったようにしか見えない。

その現実はこう換言することも可能だろう。眼の前に個別の課題が無数に見えていて、それをモグラ叩(たた)きのようにつぶしていくことにひたすら労力を費やす。それ自体は必要なことだが、そもそも何度叩いても同じ穴からモグラが次から次へと顔を出し続ける、その根本にある構造的欠陥にはアプローチできていない。だから私たちは、茹(ゆ)でガエルのように、状態が日増しに悪化している部分があることに薄々気づきつつ、対症療法的な対応を繰り返しながら時間を無為に過ごしている。

この「何もしなかった日本」の根本にある構造的欠陥の改善には、より多くの人が未来への想像力をもちつつ、大きな構想＝「エンドステート（あるべき最終状態）」を設定する試みが多様に生まれる必要がある。皆で想像するものを共有しながら、そこに見える課題や希望を踏まえて望ましいシナリオを具体的に描く。

近年の、日本を総合的にとらえたエンドステートの設定にむけた取り組みとしては、たとえば、二〇一六年から小泉進次郎氏ら自民党若手議員によって開かれた「二〇二〇年以降の経済財政構想小委員会」における議論や、二〇一七年に経産省の若手官僚らが作成して話題になったレポート「不安な個人、立ちすくむ国家」が挙げられるだろう。ただし、こういった動きは限定的で、出して終わり感も強い。その点では政権与党・官僚以外の主体からの日本のエンドステートの提示があってもよいはずだ。眼の前のことへのモグラ叩きとそれへの揚げ足取りだけではない、広い視野に立った議論が必要だ。

YouTuberの現在

二〇一九年六月号

電話の登場との比較

過激な動画を投稿して炎上したり、玩具や化粧品の商品紹介動画をつくったりして小銭を稼（かせ）いでいる。世間のある世代以上の人にとっての「YouTuber」に対する印象は、そんなものだろうか。

動画共有サービス「YouTube」に自ら出演・制作する動画を投稿し、その再生数に応じて支払われる収益で生活するYouTuber。二〇一八年九月の「全国の小学生の将来つきたい職業ランキング」調査（学研）では、パティシエ、サッカー選手に次ぐ三位にあがった。いまや、「職業」として子どもたちの憧れの的（まと）になっている。はたして、この得体の知れない危うそうな「職業」は、後世まで残るのだろうか。

歴史的補助線を引いてみよう。たとえば電話が世に登場したとき、それはいま私たちが知る姿とはだいぶ違っていた。当初の電話回線には多数の人が同時につながっていた。つまり、受話器をあげれば他の人同士の会話も聞こえた。

その会話に参加してもよいし、ただ耳をすましていてもよい。話題は多彩で世間話も多く、娯楽のために受話器をあげっぱなしにして、聞き流しながら何かの作業をしたり、興味ある話題には自分も言葉を挟んだり、まどろんだり。つまり、ラジオ的といってもよいし、SNS的、動画共有サービス的といってもいいような使われ方、楽しまれ方をしていたのが、かつての電話だった。

それが現在のかたちに変化した背景には、技術の普及のなかで行政やビジネスにとって、それが有用な道具と見なされていく過程があった。ラジオ、蓄音機、テレビといった他の主要な情報技術、メディアも含めてそれぞれの最初の姿を見れば、現在からは想像もつかない、インタラクティブさや自由さが存在した。

公共性を獲得した先に

生まれたての情報技術やメディアは、得体の知れないものであり、それを使う情報の発信者と受信者の境界も曖昧だ。境界が明確になるのは、その情報技術・メディアが国家や産業と結びつき、制度化・仕組み化されていくなかでのことだ。そこで選抜された発信者が公共性を獲得しメディアは持続可能性を得る。そんな一定の進化のパターンがある。

ＹｏｕＴｕｂｅｒは、近年まさに公共性を獲得していく段階に入っているようにもみえる。国内有数のＹｏｕＴｕｂｅｒである「カズチャンネル」は、二〇一〇年の動画投稿開始以来、多くのＹｏｕＴｕｂｅｒ同様、商品紹介や体を張ったダイエット企画などの動画が人気を博してきた。ところが、次第に自らの結婚や子育てなどのライフイベントをさらけ出すようにもなり、そこに映る誠実な姿が多くのファンを生んでいる。

そして、自らが住む福井県が豪雪災害に見舞われると被害状況を詳細に伝え、ふるさと納税を通した復興支援の方法を解説する動画を投稿して、実際に自治体に多くの資金が寄せられた。最近は、自らこども食堂にボランティアに出向く動画を公開して、多くの人に社会課題の存在を知らしめている。先日の福井県知事選の際には、地元紙に若者・ネット世代の代表的人物として意見するインタビュー記事が掲載された。

同様に著名なＹｏｕＴｕｂｅｒ「釣りよかでしょう。」は佐賀県在住の二十〜三十代のグループで、日ごろから居住地周辺の魅力を独自の視点から発掘・発信。釣りなど自然との触れ合いを通して自分自身が童心に返り、それを視聴者も追体験できるような動画が人気を博してきた。

そんな彼らは、今年の三月十一日前後、福島や宮城で釣りを楽しみながら、あえて「被災地」や「復興」に一切（いっさい）言及せずに、彼らしい切り口で土地の魅力を伝える動画を投稿してみせた。その粋（いき）な計らいに、被災地から多くの感謝のコメントが寄せられている。

最近は、多くのトップＹｏｕＴｕｂｅｒが「マルチチャンネルネットワーク（ＭＣＮ）」と呼ばれるマネジメント事務所的な組織に所属する。ＭＣＮはＹｏｕＴｕｂｅｒに、企業タイアップや行政広報の動画制作・配信の仕事を斡旋（あっせん）すると同時に、コンプライアンス研修の実施など、公共性を促す役割も担いはじめている。

ＹｏｕＴｕｂｅｒのもつトリックスターゆえの得体の知れなさ。そこに漠然とした危うさを感じる人は多くとも、それこそが若年層を魅了している。思いのほか、したたかに進化しはじめているようにもみえる「職業」は、五十年後、百年後、いかなる姿を見せているのだろうか。

第四章

政治の盲点

豊洲市場周辺と東京港（東京都江東区）
写真提供：時事通信フォト

小池氏とトランプ氏の共通点

二〇一七年六月号

典型的な「疑似イベント」

昨年来、混乱してきた築地市場の豊洲移転問題がようやく「落とし所」に向かいつつある。むろん、豊洲移転決定時の行政プロセスの不透明さや新市場の使い勝手の悪さなどについての議論は残る。しかし、専門家会議が「科学的、法的には安全」と評価したことをはじめ「豊洲移転をしたら危険だ」という根本的な論点については結論に向かいつつある。

ただ、これがベストな落とし所ではないだろう。すでに移転延期によって市場関係者などに余計な費用負担が発生し、東京五輪に向けた種々の計画にも悪影響が出ている。しかし、この結果を招いたのは、小池百合子都知事を選び支持する有権者であり、結局、有権者が税負担するのであるから、自己完結的な話であるともいえる。民主的な「自業自得」だ。

この自業自得のコストをどう処理するのか。有権者のなかには「検証してもらえてよかった」と検査コストとして納得する人、また、「よくわからない話だったけど直接自分の懐が痛む実感もないし、なんかマスコミが盛り上がったからいいか」と小池劇場の観劇コストとして看過する人もいるだろう。ただ、「そもそもこの騒動自体、本来不要な時間と費用を費やし、過剰に不安を煽って一部の人を怯えさせた以上の意味がない話だった」と見る人も多かろう。

これは典型的な「疑似イベント」だ。疑似イベントとは、メディアが動くことで現実に存在するか定かではないことをあたかも重大事のように社会が扱いはじめる現象を指す、社会学・メディア論で用いられる概念だ。「社会の出来事」がまずあって、それを「私たち」に伝えるのが本来のメディアの役割だ。しかし、メディア自体が率先して「社会の出来事」を演出や捏造してしまい、「私たち」を惑わす。これは、メディアに囲まれて生活をせざるをえない現代人がしばしば巻き込まれる現象でもある。目ざとい政治家は疑似イベントを利用する。それは政治家としては「合理的」であり、その点で小池知事はきわめて「有能」だった。

現代は、「不安を軸にした疑似イベント」が政治を動かし続ける社会＝「不安社会」だ。「安心できない」という不安の感覚は昔から社会に存在したが、なかでも現代の不安は特異な性質をもつ。その理解には近代化にともなうリスクの変容を把握する必要がある。

現代社会に観察できるリスクの性質の急速な変化を指摘したのはドイツの社会学者、ウルリッヒ・ベックだった。かつては自然災害や疫病、紛争など、いつ、どこで、どの程度の規模で起こるのかそれらについて把握可能なリスクが社会の大問題の中心にあった。一方、現代の先進諸国の話題の中心にあるリスクは、豊洲移転問題や原発事故による被曝の問題のように、その危害がいつ、どの程度の規模で起こるのか把握しづらいものだ。時空間が限られ、定量化可能な前者のリスクは政治が解決でき、解決すべき問題だった。一方、後者はそれが簡単ではない。

「不安社会」では「劇場」をつくる政治家が勝ち抜く

かつての社会は、「不安社会」に対して「不満社会」と呼ぶことができる。不満とは、文字どおり「欠乏が満たされない」状態を指す。たとえば、貧困への不満。東京やアメリカみたいになりたいという不満。時空間、量を特定できるから、「不満社会」には政治が根本的な答えを与えることができた。一方「不安社会」ではそれが難しい。時空間、量を特定できないので、何を満たせばよいのか答えが不明確だからだ。社会では、曖昧であるがゆえに肥大化する不安のエネルギーが充満し続ける。そのなかで勝ち抜くのは、不安を受け止め、苦情・要求を議論の俎上に載せて「劇場」をつくり、支持を集めながら、落とし所を見つけることに長けた政治（家）にほかならない。

不安社会のなかでなされる政治の本質は、不安やそれを抱える人びとを「発見」することにある。築地市場の豊洲移転問題のなかでそれを実行し、議会内などでの不利な立場を覆してきた小池知事だけではない。トランプ大統領は、レッドネックやヒルビリーなどと呼ばれる忘れられた白人貧困層がもつ不安を「発見」した。安倍政権は、株価や失業率など経済政策で動かせる最大公約数的な不安の元を「発見」し、支持率を保つ。

「不安社会」は今後も続く。そこに対応する政治的リーダーが、後世に残る具体的な成果を生み出せるかはいまだ不確かだ。たんに不安の発見がうまいだけでは「疑似イベント」を濫造するだけで終わる。その先に何があるか、私たちは冷静に見て論じるための目を鍛えなければならない。

「希望の党」とは何だったのか

二〇一七年十二月号

「歴史は必ず繰り返す」

二〇一七年十月の衆院選における「希望の党」騒動を考えるには、二つの参照されるべき歴史的事実があった。

一つは、民社党だ。一九六〇年に社会党内右派の一部が結成し、一九九四年まで存在した政党である。民間産業系の労組の集合である同盟（全日本労働総同盟）を支持母体とし労働環境の改善を求める一方、安保・原発を容認する傾向をもっていた。その政策的傾向は自民党との差別化を困難にして、議席は伸び悩んだ。その点、安保・原発を強く拒絶し共産党との共闘の余地も残していた官公労系労組の集合である総評（日本労働組合総評議会）、あるいはそれに支えられた社会党は、反自民意識を吸収するという意味で議席獲得は安定する一方、「何でも反対」以上の価値を打ち出そうにもついには実現できず、五五年体制の固定化に貢献した。

だから、冷戦が崩壊に向かう一九八〇年代後半以降、自民党との差別化を明確にしつつ「何でも反対」ではない政治勢力を、同盟・総評のよき部分を折衷してつくろうと連合（日本労働組合総連合会）や民主党が生まれる流れができた。だが、その三十年ほどのプロセスが、小池百合子というトリックスターの野望がきっかけとなり、結果的に、振り出しに戻ったのが先の衆院選だった。

もう一つは、未来の党だ。二〇一二年末の衆議院選の直前、「卒原発」なる政策を掲げる「日本未来の党」ができ、一部のメディア・識者が熱狂。全国各地で候補者を擁立し、国会議員のなかから合流する者も出た。未来の党設立ブームの渦中にいた「金曜官邸前抗議」などと称される反原発運動は、まだその後の中東・アラブ地域の波乱の展開が明らかになっておらず理想視されていた「アラブの春」に並べられて礼賛されたり、「六〇年安保以来の大衆運動」などと褒めそやされたりした。

しかし結果は、党所属議員の議席数が八割減の大敗北。民主党政権から自民党・公明党への権力回帰、国会レベルでのエネルギー論争の終息と安倍一強体制への接続のターニングポイントとなった。

「歴史は必ず繰り返す。最初は悲劇として、二度目は茶番劇として」というマルクスの有名な言葉を想起せずにはいられない。社会主義陣営の衰弱や3・11後の混乱という「歴史的悲劇」のなかの社会変革のムーブメントが、時を経て、こけおどしの「風」のなかで再生された。

戦後社会のトラウマの受け皿として

今回の衆院選で明確になったのは、左派内部の論争にとって安保、原発、共産党への認否という論点三点セットが——歴史のなかでは終わっているのに——いまだ有効だということだ。安保とは、すなわち軍事・防衛の、原発とは核・原子力の話だ。そう単純化して語ることに反発を覚える人もいるかもしれないが、これは一九四五年八月の原爆投下のあとに始まった戦後社会を生きる大衆にとっての集合的なトラウマの対象であり、相対化できるものではない対象として現在に至っている。これらは、一定数の人びとにとって、単純化され、あらゆる論理的な議論を超えた情緒的かつ絶対的な議論のなかで語られ続ける。

その受け皿は与党にはほぼないゆえ、とくに左派にそのトラウマからの解放への祈願が向けられる。しかし、左派内部でも議論は分かれる。

そこを玉虫色にしておいたほうが左派内部はまとまっていられるが、選挙になれば与党と差別化できず勢力は縮小していく。一方、曖昧さを取り除こうとすると、左派内の相違が表面化し分裂に向かう。分裂した先に、明るい未来があればよいだろうが、現実的には、左派内左派は共産党と、左派内右派は自民党との見分けがつかなくなる。労組など支援組織の政治的な支えがある限り、党としては勢力を残すだろうし、今後キャスティングボートを握る存在として政権に絡む可能性もあるだろうが、それが一般国民にとって視野の中心に立つことはないだろう。共産党や公明党のように、「ある特定の熱心な人が支援している党」以上の意味をもたないゆえだ。

ポピュリズムに懸けるシナリオは残るが、橋下徹的改革右派ポピュリズムは一回転して終わりゆくなかにあり、一方、未来の党的反原発ポピュリズムは始まることすら許されぬまま、私たちの記憶からも消えた。

茶番劇を繰り返さぬよう、一見どん詰まりに見える道の先を構想すべき時期に来ている。再び、歴史に学び、視野を拡(ひろ)げるなかにそのきっかけはあるのではないだろうか。

「リベラル」論を超えて

二〇一八年一月号

父権主義対自由放任主義

二〇一七年十月の衆院選では、しばしば「リベラルとは何か」を問う論考が出回った。民進党の分裂騒動が背景にあったわけだが、「リベラル」をテーマにした議論はいまにはじまったことではない。たとえば、近年の「リベラル」とタイトルに入った出版物を俯瞰すると、「学術的にリベラリズムに迫ったもの」を除けば、「左翼・革新派（とかつてされていたもの）の再生をめざす提言」か「左翼・革新派のダメさへの指摘」を趣旨としたものに類型化できる。それはすなわち、右派／左派、保守／革新という冷戦構造的対立枠組みの内部での議論の反復にすぎない。

では、「右か左かの対立」自体を相対化し、そうではない新たな軸を設定することはいかに可能なのか。

たとえば、先日ノーベル経済学賞を得たリチャード・セイラーらが提示する「リバタリアンパターナリズム」についての議論を参照すると、現代のさまざまな政治的対立軸の根底には「パターナリズム（父権主義）／リバタリアニズム（自由放任主義）」という対立があることが見えてくる。あらゆる押し付け・無理強いから逃れることが実現された社会を理想とする「リバタリアン」と、適切な道を示す父親のようなリーダーが率いる社会を理想とする「パターナリズム」。そのいずれに共感、あるいは反感をもつのか。

両者を提示されれば、私たちの多くが、おそらく直感的に「自由放任」にこそ理想を見出すだろう。つまり、誰かにタガをはめられることなく、何を言ってもやってもよい。それが実現した社会に生きれば幸せに違いない、と。しかし、はたしてそうか。

たとえば、インターネットの発達は私たち個々人の言論の自由放任の度合いを高めた。だが、そのなかで、ヘイトスピーチやデマが溢れ、かつてはなかった諍い、凶悪犯罪も生まれ、社会の分断を可視化している。インターネット上だけでの話ではない。

一定の豊かさが達成され、ヒト・モノ・カネ・情報の流動性が増すなかで、はたして私たちの幸福度はそれに比例してあまねく上がったのか。もしそうならば、なぜ中・露はもちろん、米国や西欧においてまで、自由放任を阻害するようなパターナリスティックに見える政治体制が、大衆から求められる力が強まり安定しているようにさえ見えるのか。それはおそらく、一定の人が、パターナリズムに理想を見出しているゆえだ。

いずれも絶対的な正解ではない。問題は、両者のいずれかにのめり込む人同士には埋め難い分断があり、それがさまざまな「本来あるべき社会についての議論の成立」を阻害し、さらなる不満を生み出していることにある。それをいかに解消し、経済政策でも外交・軍事でも社会保障でもエネルギー政策でも、多くの人が満足する意志決定をするか。

良質な選択肢を用意する

この点について、「リバタリアンパターナリズム」は多くの示唆を与えてくれる。リバタリアンパターナリズムとは、有り体にいえば、「良質な選択肢を用意する」ということだ。そのことでそれぞれの人の選択をサポートすることに力を入れよ、とセイラーらは唱える。

たとえば、ある会社で社員全体の生活習慣病予防・改善をめざすとしよう。社員の食事のメニューを強制的に決めてしまう方法もあるが、不満を生むだろう。一方、「健診で悪い数字出たら減給ね」と呼び掛けるだけで、あとは自由放任でもよいかもしれないが、うまくやる人が出る一方で、危険なダイエット方法にハマって健康を害する人も出るかもしれない。

そこで、強制することなく、自己決定・自己責任にも任せない方法が必要となる。たとえば、これまで、社員食堂の食べ物の配置は単純に食堂スタッフが並べやすいように並べていたが、手前の取りやすいところに低カロリーのものを、奥の取りにくいところに高カロリーのものを配置する。それだけで、それぞれの人は自分で選択をするプロセスに満足しつつ、会社の意図も達成に近づく。

現代日本のさまざまなトピックを俯瞰しても、政策論争をするに値する選択肢が国民に共有されていないままに揚げ足を取り合う政局論争や、右も左も何かあればデモだ、ネットで攻撃だと議会外の熱狂に没入する様が観察される。良質な選択肢を抽出し提示する役割が、政治家・メディア・専門家等々には求められる。さもなくば、パターナリズムとリバタリアニズムの擦(す)れ違いのなかで立ちすくむ政治は変わらぬままだろう。

民主主義における「顕教」と「密教」

二〇一八年五月号

絶対的な天皇制と相対的な天皇制

かつて思想家・久野収は天皇制を「顕教・密教」にたとえ、戦前日本の政治システムを分析した。その理屈を有り体にいえば、こういうことだ。

一方には、日本におけるあらゆる権力を握り、現人神としての権威をもつ「絶対的な天皇制」があり、他方には、憲法はじめ定型・非定型の制度的制約により権力・権威とも限定された「相対的な天皇制」がある。

前者は断片的ながら初等教育から大衆向けに広く教えられ、後者は官僚などが高等教育のなかで体系的に学んだ。それ故、前者は「顕教」、後者は「密教」にたとえられ、この二重構造こそが戦前の政治システムを成り立たせたのだという。天皇と、それを介して天皇のもとでまとまった大衆を間接的に統制する支配層との安定的な関係が生まれたのである。

面白いのは、この両者のダイナミズムだ。短絡的に「密教側の陰謀が社会を独裁政治的に動かしていた」という話ではない。たとえば、戦前日本が「密教」を知る層の思いどおりに、「顕教」を信じる多くの人が誘導されてばかりいたという構図なのかというと、必ずしもそうではない。

当初はその構図があったものの、途中からうまくいかなくなり「顕教」を盲信するエリート層が出てきたり、それを「密教」が止め切れなくなったりもした。日本軍のなかに「顕教」を信じた者、つまり「絶対的な君主たる天皇陛下はこう思っているはずだ、いや、思っていないとしてもこれが本来の在り方に違いない」と思い込み、暴走する人びとが生まれた先に敗戦があった事実がその最たる例だ。

おそらく、この絶妙な顕密二重構造モデル――大衆に信じられる「断片的だが絶対的な理想、タテマエ」たる顕教と、一部の人が知る「体系だった相対的な現実、ホンネ」たる密教――は、戦前日本社会に固有のものではなく、戦後日本や諸外国の政治体制にも見られることだ。

外交・防衛やエネルギーについていえば、断片的に社会で共有される情報・イメージから大衆が抱く感覚（顕教）と、行政官や専門家がもつ体系立った知識（密教）との溝はあまりに大きい。「天皇機関説」を政治家や学者が知っていても公言することが憚られ、もし公言すれば制裁を受けたのと同様に、その外交・防衛やエネルギーについて専門知を表立って議論すること自体がタブーになり続けている点は、戦前の顕密二重構造モデルと通じる。

トランプ政権を誕生させた米国、政治的に不安定化するEU諸国にもそれぞれに、壮大な「顕教」があり、顕密二重構造があっただろう。だが、経済成長の鈍化、移民や宗教の状況の変化のなかで、「顕教」とうまく整合性を取りながら国家運営をしてきた「密教」を知る層の「かつてのようには事態をコントロールできない感」が見える。

一方、度重なる対内外の危機に直面しつつも、その荒波を狡猾に乗りこなし続ける北朝鮮は、少なくとも現状は顕密二重構造モデルをうまく使いこなしてもいるのだろう。

日本が進みうる、二つの方向

日本においては、もはや密教側が顕教側をかつてのように手なずけ切れない状況が現実政治のなかで垣間見える。おそらく、この先には二つの方向があるのではないか。

一つは、密教側が諦めるシナリオだ。官僚システム（密教側）に顕教側をグリップしようという意思があっても、もはやそれが不可能だ。ならば、「じゃあ、勝手に顕教側で動いてください。ただし、何かあっても知りませんよ」と大衆の自己決定・自己責任に委ねる方向である。

もう一つは、顕教側がいくら自由奔放に動き回っても、密教側はそれに気付かれたり影響を受けたりしないよう、静かにその理念の実現を模索する方向だ。経済政策を整え、高支持率を保ちつつ、スマートにかねてより実現の必要性がいわれていた政策を実現していく「官邸主導」と呼ばれる現状の政治の在り方は、その一つの姿だろう。

フランスの哲学者、ミシェル・フーコーは、権力が、近代化のなかで誰か・何かを殺す力から、活かしつつ手なずける力＝「生権力」にその重心を移してきたという。その点では、より「生権力」的な後者が、次世代の顕密二重構造の在り方なのかもしれない。

大衆がどう思うか、動くかによらず、静かに必要なことを実現していく政治。それを支える、経済や情報の充溢を確保することで人の幸せの総量を底上げする社会。それは私たちに何をもたらすのだろうか。

「一三年体制」を支えるもの

二〇一九年九月号

五五年体制の踏襲と更新

そろそろ二〇一三年から続く現下の政治状況を「一三年体制」と呼び、その内実を検討してもよいのかもしれない。

自民党は議会の過半数を野党に渡さないが、足元が固まりきらず改憲発議までは至らない。一方で、個々の重要な政策については漸進的に決定を進め、権力の維持に必要な資源である支持率と経済指標の循環を可能な限り統制する。

一三年体制を成立させる背景にあるのは安倍内閣の属人的な力量にも見えるが、その都度前提条件が違う国政選挙を繰り返しても毎度似た結果が生まれる背景には、より構造的な必然性があるだろう。

一三年体制には五五年体制と似通っている部分が多い。「一と二分の一」といわれた与野党の議席配分、主導権争いと分裂のなかで政権奪取よりも手近なところでの支持獲得に注力するようになる野党。時間が経過するほどに体制は固定化される。

無論、変化もある。自公の連立が不可欠な前提になった。全国を網羅した与党集票の基盤であり、政策を中道寄りに修正する機能をもつ。また、「改憲・安保護持が保守で与党、護憲・安保反対が革新で野党」という区分は不明確になった。そして、崩壊した五五年体制は時代の空気を飲み込み更新された。

五五年体制崩壊からの二十年間は壮大な過渡期だった。そこでの乗り越えるべき山は大きく三つあっただろう。一つ目は業界団体や労組、宗教団体などの中間集団からの解放。二つ目は保革、右左のイデオロギー対立の解消。三つ目は肥大化した非効率な政府の改善。これらは旧体制の象徴とされ、いまも選挙関連報道を見れば、「組織動員」「右でも左でもない」「税金の無駄遣い」などと紋切り型の物言いとともに繰り返し毛嫌いされている。

しかし、一三年体制を支えるのは、この古い認識とはズレた現実だ。

たしかに中間集団への依存は相当下がっている。当然、与野党ともに組織動員の締め付けが緩んだ分、投票率も下がる。

一方で、二〇一九年六月の参院選の全国比例区の各党上位当選者を見れば、与野党とも業界団体や労組の支援を受けた候補が並ぶ。野党側は、社会党＝官公労系労組＝総評、民社党＝民間系労組＝同盟という構図が蘇ってきているようにも見える。同時に強固な中間集団と結合した公明党・共産党は想定どおりか、それ以上の成果を出している。つまり、全体として中間集団依存は減ったが、各政党にとってその後ろ盾としての価値は変わらないか、あるいは（集票に頼れる中間集団が減ってきている現実のなかで）相対的に高まってきている。

「消費の対象」を反復している

「右でも左でもない」論も、イデオロギーや中間集団に頼らない「新しさ」を主張した結果、結局一過性のポピュリズムに踏み出すか否かという問題に回収されてしまう。日本社会を根底から変えるかのように期待された「未来の党」や「希望の党」はその典型であったが、いまやその名を聞く機会はない。

別に野党側だけの話ではない。郵政解散でそれまでの動員の形態を壊しながら議席獲得に成功した自民党が、数年後にあっけなく政権を奪われたことも並べてみるべきだ。リセット願望に阿(おもね)った政治のスペクタクルが、あたかもシリーズ化されたエンターテインメント映画のような、消費の対象となるあり様が反復していることは自覚されるべきだ。

それまでの肥大化し、非効率な政府も、さまざまな改革の結果、スリム化してきた。そのなかで、ただ「無駄な公共事業はやめろ」と迫り続ければ状況がよくなるものでもなくなっている。医療・福祉が象徴的であるし、経済政策的にも、いかなる理論を前提にするにせよ財政出動の必要性はなくなりそうにない。だが、それをどうすべきか、という議論が大衆レベルで成熟しているかというとそのようには見えない。

先日の選挙ではどの党も大損をしていない一方、理想どおりの得もしていない。この一三年体制が、皆がちょっとずつ損をしながらもこんなところがほどよいか、と陥る「ナッシュ均衡（きんこう）」的な状態にあるゆえだ。一三年体制への是非は人によって異なるだろうが、この均衡を崩さなければ解決しない問題もある。より最適な状態に至るには、誰かがリスクをとってでも均衡を崩しにかかる必要がある。しかし、そんな動きを起こす度量のありそうな政治家の顔はなかなか思い浮かばない。

アートの「悪しき公共事業」化

二〇二〇年一月号

あいちトリエンナーレ問題

今年の重大ニュースを振り返るうえで、「あいちトリエンナーレ2019」をめぐる一連の騒動は外せない。

慰安婦問題をイメージさせる少女像や昭和天皇の写真を焼いて踏みつける映像、特攻隊の寄せ書きなどを用いて「時代(とき)の肖像――絶滅危惧種　idiot　JAPONICA　円墳」、直訳すると〝馬鹿な日本人の墓〟と名付けられた造形物が展示された結果、主催者に対する抗議が殺到した。一時中止された展示の再開は実現したが、公金が注ぎ込まれた催しのあり方を問う議論に答えは出ぬまま、いまに至る。

マスメディアや芸術系の媒体では「表現の自由」が脅(おびや)かされているとする議論が、SNSや保守系雑誌などでは天皇や特攻隊を愚弄(ぐろう)する作品のあり方を「差別・ヘイト」と問う議論がみられた。ただ、そういった右と左に割れた論争自体は九〇年代からみられる歴史認識をめぐる議論、たとえば自らが与(くみ)する世界観を元にした歴史教科書をつくり行政に採用させようとする動きと、それに対抗しようとする動きに象徴されるような、公的領域をハッキング・私物化しようとする二項対立闘争の延長にあるもので、特段、問題構造に新しさがあるわけではない。

むしろこの問題があぶり出したのは、アートという一見無垢(むく)で先進的にみえる領域に、「手垢(てあか)にまみれた悪しき公共事業」の一つとも見える危険性が生じはじめていることだ。「あいちトリエンナーレ」のような現代アートの大規模な展覧会は、「アートプロジェクト」とも呼ばれる。地域の独自性を活かしながら、さまざまな作家の作品を観覧できるようにし、観客が作家と一緒につくった作品や、物質的な作品だけではなくて、踊りや音楽・ゲームのような非物質的なものまで作品とされる。ある作家やコンセプトをテーマに作品を秩序立てて展示する従来の美術館の展示のあり方とは違う。

公共の利益につながっているか

「アートプロジェクト」はここ二十年で全国に広がった。少子高齢化にあえぐ地域や揉(も)めごとを抱えてきた地域に、アートという触媒を加えると変化が起こる。アート作品自体がそうだし、作家や観客としてやってくる人＝「よそ者・若者・バカ者」も地域を明るく、知的な雰囲気にしてくれる。観光客が訪れて経済効果が生まれ、新たなまちづくりの議論も盛り上がる。そんなアートの力にあやかろうと、グローバルシティとして競争に晒される国内の大都市（札幌、横浜、神戸、福岡……）も軒並みアートプロジェクトを実施してきた。予算規模数百万円の手づくり感あるものがある一方で、「あいちトリエンナーレ」のように、公金を含む億単位のカネが動く大規模なものも増えてきた。

これは政治・行政サイドにとっては、たとえば何十億円もかかる文化施設にカネを投じれば「ハコモノ行政」と旧態依然の印象を与え批判を受けるのに対して、アートプロジェクトを立ち上げれば費用をおさえながらも〝住民に広く開かれた斬新な文化プロジェクト〟に取り組んでいる姿勢を示し、施設運営経費なども残りにくく、手離れもよい。その点で「使いやすく便利」だ。

この動きは当然、アートを生業とする者たちの側からしても好都合だ。アートプロジェクトを通して、現代アートの作家やその周辺で仕事をする者は忙しくなり、まだ仕事にするほどの実績のない新人も多少の報酬と実績を得る機会になる。

このもたれ合いの構造自体が悪いというわけではなく、むしろ現代的な文化創造のフォーマットとしてみればよくできたものだ。実際に地域に多大な貢献をして多くの住民から継続を望まれているアートプロジェクトを私自身も訪れた経験がある。

しかし、公金投入が前提の大規模なアートプロジェクトを見渡すと、限られた権威と人脈、必ずしもオープンではない特異な文脈のなかでことが進められ、それが本当に公金を投入しただけの公共の利益につながっているのか検証されないままあるようにもみえる。人びとが遍く文化的な生活を送る権利を整えるためのものではなく、文化を生活の糧にする一部の人間の利権獲得・拡大の手段にそれがなっているのだとすれば、いずれは、八〇年代の地方博ブームのようにその暗部が問われ、フォーマットとして陳腐化していくだろう。

東京オリンピック・パラリンピック、大阪万博が控えるなかで、今後も文化と政治・行政の関係性は問われていくことになるに違いない。

変革型リーダーか、交換型リーダーか

二〇二〇年九月号

安倍政権長期化の要因をめぐる仮説

安倍政権が長期化したことの本質はどこにあるのか、と通俗的に議論されてきた主要な仮説を大まかに分類するならば、（1）右傾化論（復古主義でタカ派、この勢力が与党内の権力闘争で他者を圧倒し世の空気ともマッチしている）、（2）愚民化論（国民の「反知性」の度合いが急速に高まり、無教養できれい事ばかりいう政治手法にコロリと騙されている）、（3）独裁化論（隠蔽・改竄・癒着といった手練手管を用いながら陰謀を実現しようと根拠なき権力を恣にしている）、（4）代案欠如論（他に政権になりうる対抗勢力、それを支える政策が存在しない）、（5）新・官僚主導論（「政治主導」の名のもとに政権中枢と官邸官僚が株価や失業率など、その効果があまねく波及する経済指標を統制して支持を維持している）といったところだろうか。

各々の妥当性をここで詳細に検討することはしないが、どれか一つが正解だというわけではなく、いくつかが組み合わさり、また時期によってその内実も変わってきている、というのが実際のところだろう。成立から七年八カ月。多くの人がその本質を摑みあぐねている。

この点を分析するうえでは、米国の政治学者、J・バーンズらが積み上げてきた「変革型リーダーシップ」と「交換型リーダーシップ」を峻別・対比した議論が参考になる。

変革型リーダーシップとは、変革に向けた新たな理念を提示し、フォロワーの熱情を誘い出しながらことを進めるあり方だ。リーダーにはカリスマ性が必要になる。他方、交換型リーダーシップとは、フォロワーの支持に対して経済的対価や社会的安定といったフィードバックを与えながらことを進める。ルールや規律がリーダーの正統性を支える。私たちがリーダーを見るとき、リーダーシップを語るとき、この二つのどちらの話をしているのか、明確化すると見えてくることがあるはずだ。

WhoではなくHowを問え

仮に（1）こそが現政権の力の源泉だと見做すならば、そこには変革型リーダーシップがあり、（5）ならばそれは交換型リーダーシップの性質を強くもっていると評価できる。両者を並べたとき、かつてのように「美しい国」などといわず、靖国参拝もせず、憲法改正もどうやら頓挫した状態ながら、いまなお政権が維持されている状況からは、後者の仮説のほうが妥当に見える。

集団的自衛権などいくつかの変革を成し遂げたものの、いかなる変革を達成したいのか、もはやよくわからず、ただ体制維持のためにつつがなく進みうることだけに手をつけ、世論に阿りながら右往左往しているリーダーシップは、過度な期待と過度な嫌悪の混濁のなかにさらされ続けてきた現政権と社会の関係の、一つの解なのは確かだ。

安倍政権に限らず、過度な期待と失望とを現代の政治的リーダーは背負わされ続けている。募る閉塞感を打破する施策を打ち出し、実現し続ける。でも、悪事を働かない。多くの人がそんな理想のリーダーを強く求めているし、コロナ禍はそれを加速させているようにも見える。

大阪維新の会の政治に象徴されるような、継続的なビジョンの提案と言葉巧みな首長による直接的情報発信を重視した政治は、コロナ禍のなかで頭角を現した大阪以外の若手の首長にも通じる新たな変革型リーダーシップの気風だろう。

また、米露中もEUも、その他新興国・途上国でも、強く確かなリーダーがせめぎ合う状況はより強まっている。そこで目立つ過激な言動や恐怖政治をちらつかせるリーダーたちが変革型リーダーシップの持ち主だが、同時に、したたかに交換型リーダーシップの使い手である場合もあり、その政治手法はこれまでの先進国が共有してきた民主主義や人権といった価値観を揺るがしている。一部にとっての〝理想のリーダー〟が、その他にとっては〝悪魔〟に見えている。その現実自体を再編できるリーダーもまた求められている。

いまこそ「誰がリーダーによいか」とＷｈｏを問うのではなく、その先にある「いかなるリーダーが必要か」とＨｏｗを問うべきではなかろうか。「誰が次の首相にふさわしいのか」という話題はマスコミの定番ネタだし、最近は「コロナ禍において活躍する政治家は」と閣僚や自治体の首長らを評するような報道も目にする。強迫的に支持率を測定する世論喚起の手法はマンネリ化している。そういった娯楽としてのリーダー語りの先を見据える議論が必要だ。

イデオロギーとユートピア

二〇二〇年十二月号

政策なき政治の淵源

福島第一原発の処理水の処分方法決定、高レベル放射性廃棄物の最終処分地選定に向けた文献調査。これらは一部の人びとにとって、憲法改正と同等か、それ以上に〝動きようのない最大のタブー〟と実感されてきた。それらは私が比較的近くで観察し続けている分野の問題だが、私の視野に入っていない種々の〝地味な〟分野でも、政権交代とともに急速に事態が動くこともあるのだろうと想像する。

無論、すべてが前政権の不作為(ふさくい)と現政権の実行力の結果だとは思わない。長期政権における政・官・財・学・メディアその他さまざまなアクターの利害調整のバランスが生んだ膠着(こうちゃく)状態の、一時の弛緩(しかん)が背景にあるのは確かだろう。

経済指標を可能なかぎり改善し、外交も不要な葛藤を避けるよう安定させる。野党・マスコミがエラーを責め、悪印象を植えつけようにも、「そうだともそうじゃないともいえる」ようなプロセス論の範疇に止める。むしろ人びとの視線が集まりにくい他の〝地味な〟実務を進めて、大衆が飽きたころに別の話題を提示する。この既視感溢れる政権維持のテクノロジーは、より洗練され続けているようにも見える。政局はあっても政策（論）がない政治は、一層日本に根付いている。

安倍政権と菅政権を比べて、「イデオロギー」の有無を指摘する議論をたびたび目にする。「安倍（晋三）は右派的だが菅（義偉）はそうではない」という具合に。だが、多くの論者が指摘するとおり、現政権でも大きな方針が維持される経済政策はむしろ左派的で、また政権批判の側のほうも／ほうが、じつはイデオロギーにまみれていると、たとえば直近ならば日本学術会議の会員候補の任命拒否問題を含めて必ず指摘されるパターンになっている。一方には「イデオロギー」という概念が曖昧なまま使われ、他方には「過剰なイデオロギー論争化」が進む混乱があるようだ。

たとえば、マルクスが用いた「イデオロギー」概念は、いま一部の人が想定するそのイメージに合致するだろう。つまり、既得権益をもつ側が、現状維持のためにもつ虚偽意識こそが、それであると。一方、ナポレオンは自らの批判者を、空論をいう者として「イデオローグ」

と名指した。イデオロギーは権力批判の側にも存在しうる。現代政治は、いわばこのマルクスとナポレオンが論争をしている構図と形容できるかもしれない。自分の立場に都合のいい世界観＝イデオロギーのもとで、持論補強に適する証拠を集めて、それに反するものを見て見ぬふりをしながら、「そうともいえるし、そうじゃないともいえる」嚙み合わない議論を各々がしている。この構図が現代社会の不整合を生み出し続けているのではないか。

社会学者マンハイムの示唆

ただ、このような「どちらもイデオロギーに囚われている」という見方は、過剰な相対主義を促しかねない。つまり、「結局どの立場も偏った世界観のうえにあり、真実を捉えられていない」というニヒリズムに接続しうる。

しかし――とその点を論じたのは、一九二九年に『イデオロギーとユートピア』を著した社会学者、カール・マンハイムだった。

マンハイムは、いかに客観的・中立的に見える知識も、立場や歴史のなかでの制約を受けて存在していることを、「存在被拘束性」といった。一方、その制約のなかにあるバラバラな知識同士の相互の関わりを見る「相関主義」の重要性も主張した。つまり、バラバラの星をつないでそこに浮かび上がる星座を見出すように、各知識をつなぎ新たな知を生み出すことが重要だ、と。

さらに、「イデオロギー」と併置するかたちで「ユートピア」という概念を提示したことも興味深い。イデオロギーは現実を維持する作用をもつのに対して、ユートピアは現実を超えていく作用をもつ。

マンハイムの概念を借りるならば、現代政治は「ユートピア構想無きイデオロギー論争の時代」にある。いうまでもなく、かつてのイデオロギー論争には、双方にユートピアがあった。それを欠いた堂々巡りの議論は、高度な大衆化のなかで、歴史上何度も指摘されてきた民主主義の欠陥を露わにしているようにもみえる。

情報化のなかでイメージの闘争に割かれるエネルギーを、相関主義的な論点整理とユートピアの構想に仕向けていくことが必要ではないか。

代弁愛好家がつくる溝のなかで

二〇二一年一月号

ある意味では必然な分断の存在

米国大統領選の混乱には、表象代理の問題、つまり「誰が何を代弁するのか」という困難が垣間見える。

あの政治家は、この新聞社・テレビ局は、本当に私たちの声を代弁しているのか。いま皆で考えるべき優先順位の高いテーマを、取り扱ってくれているか。彼らがいう正義や弱者は、私たちにとってのそれらとは重ならないのではないか。そんな不信感が募った先に、もはや私たちの声を代弁してくれない「彼ら」とは、「真実」を共有できない。

そんな代弁を巡る闘争は、米大統領選に限らず、さまざまな場所で普遍的に見られる。政治と世論、メディアのあり方の限界が問われてもいる。米国大統領選に関する報道のなかでは、しばしば「分断」という言葉が聞かれたが、価値観や国籍、人種、ジェンダー、その他種々の多様性が社会に内包されるなか、これまで存在しなかった分断が、つねに問題として露呈するのはある面では必然である。むしろ分断が可視化されるのは、「社会の多様性」という近代以降の理想が現実社会に高度に実現するプロセスの証左と見ることもできるだろう。

あらためていうまでもなく、分断の抹消を無邪気に追求する国民国家が、二十世紀には全体主義に陥り数多(あまた)の悲劇を演出した。多様性が生み出す終わりなき葛藤からの逃避は簡単に悪意に利用される。

無論、だからといって葛藤が放任されるべきというわけではない。ではいかに葛藤を回避するか、分断を再びつなぎ合わせるのか。

その一つが「代弁」だろう。たとえば「これだけ困っている人がいるんだから、かわいそうな人が声をあげているんだから助けるべきだ」というような。しかし、それがうまく機能しているとはいいがたい。対立する者たちのあいだでの代弁合戦は、「こちらの代弁の対象のほうが、より社会全体を象徴する」というような主導権争いに転化してしまい、ますます溝を深めている。

この混乱を解決する方法は当面見つかりそうにもない。ただ、皆が代弁に熱中するような心性に対して、私たちがいかに冷静に向き合えるのかということは、より深く問われていくべきではないか。

スピヴァクの慧眼

誰か・何かを代弁することは、つねに自己正当化の欲望につながっている。そして、そもそも誰か・何かを代弁すること自体が不可能なことであり、それを自覚することこそが倫理的だ――。そう指摘したのが、米国の比較文学者、ガヤトリ・C・スピヴァクだった。

スピヴァクは、インドに残った寡婦殉死(かふじゅんし)の風習に着目した。この風習は、「夫に先立たれた妻がそれを嘆き自ら命を絶つ」というものだ。そのような風習が存続するのは、その行為が地元で褒め讃えられるからだが、一方、これは当然非難の対象にもなってきた。すなわち、死後まで家父長制が女性を縛るとはなんと野蛮で前近代的だと、西洋の良識派やその価値観を身につけたものはそれを嫌悪するのだ。

両者の意見を前に、スピヴァクは風習への称賛には賛同しないが、同時に、それは野蛮だと眉をひそめる立場にも与しない。それは、後者にもまた、「文明の側から未開の野蛮を教え諭(さと)してやらん」と無意識に欲望する植民地主義の「外から・上から目線」が必然的かつ分かちがたく組み込まれているからだ。

家父長制という抑圧と植民地主義という抑圧は、いずれもそれを無意識に抱える者からすれば、自らが抑圧に加担しているなどとは思っておらず、むしろ善意とともになされる抑圧でもある。スピヴァクが指弾するのは、正反対の方向を向いているようにみえる二つの抑圧のいずれも、殉死する寡婦の代弁になどなっていない、ということだ。仮になっているとしても、それは代弁をする側が「自分のいいたいこと」をいうための道具として寡婦が利用されているという構造からは逃れられない。スピヴァクの慧眼は、代弁愛好家たちの無意識の偽善、そして分断を糾弾するふりをしながら、そこにある溝を強化する愚かさに向けられている。

米国のラストベルトの労働者でもインテリ・リベラルでも、あるいは政治対立のなかで生まれた犠牲者や犯罪・災害の被害者、何らかの被抑圧を告発する人びとでも、ある代弁がなされ続ける光景を目の前に、私たちはその背景をも見通しながら、分断を架橋する言葉を身につける姿勢を意識していくべきだろう。

第五章 3・11の盲点

「東日本大震災・原子力災害伝承館」の7面大型スクリーンを備えたシアター
（福島県双葉町）
写真提供：時事

個人の「気持ち」で支えられる医療福祉体制

二〇一七年三月号

「最後の砦」が崩れた悲劇

二〇一七年初め、福島県双葉郡広野町にある高野病院がテレビ・全国紙でたびたび取り上げられた。福島第一原発がある双葉郡のこの病院の院長が年末に火災で亡くなり、その後、病院の存続が危ぶまれる事態が続いていたからだ。

高野病院は双葉郡で唯一、二〇床以上のベッドをもち、二十四時間体制で救急患者や入院患者を受け入れる体制が整っている病院だった。3・11前、双葉郡にはそのような病院は六つあったが、高野病院以外はかつてのような医療を再開できていなかった。小規模の診療所・クリニックも再開しつつあるが、再開しても、その多くが部分的な営業にとどまっている状況がある。原発事故によって避難指示が設定されたことで止まった血流を再度復活することの難しさ。そのなかで「最後の砦」が崩れた悲劇。いまでも被災の影響が続く。

ただ、この問題が重要なのは、それだけが理由ではない。ここに日本の医療・福祉制度が抱える課題の縮図があるからだ。

高野病院問題の最も大きな困難は、常勤医が八十一歳の院長のみだったということだ。もちろん一〇〇人の入院患者がいる病院を支えるのはそれでは足りない。病院の隣には、介護施設も併設されていたからなおさらだ。非常勤医師を首都圏などから呼び、サポートをしてもらっていたが、いつ辞めるかわからない。看護師はじめ医療スタッフも集まらない。広野町で暮らそうとすれば生活上の不便も多い。新聞配達も再開しきっていない。幅広い商品を扱うスーパーが昨年やっとオープンしたほどだ。でも、患者は高齢者を中心に継続的なケアを必要とする人が大部分。医師が一〇〇人規模の病院は車で一時間ほど、あるいはそれ以上遠方にしかないから簡単に移動してもらうわけにもいかない。綱渡り状態の「老老医療」がそこにはあった。

その上に覆いかぶさったのが、「地域医療の負担集約」だ。この地域の医療機関数は3・11を契機に激減した。ただ、立入禁止や避難指示が解除になってもそれらは再開しない。それは3・11だけが要因ではない。持続的に医療を続ける資金、人材の確保の見通しが立たないからだ。これは3・11前から始まっていた傾向であり、そのリスクが具体的な危機として表面化するきっかけが3・11だった。

ログハウスで寝泊まりしていた院長

そもそも、福島県は日本でトップクラスの医療過疎県だ。たとえば厚生労働省の「人口10万対医師数」によれば、二〇一四年の都道府県ランキングで、福島はワースト四位だ。3・11前からこのような低位だった。そして、この四位というのも、過疎度でいえば実質ワースト一位といってよい。福島より下の埼玉・茨城・千葉各県は東京への通勤圏だ。都心の若い医療者が定期的に診療のサポートに来ることが可能だし、患者も病状次第で都心の大病院に通える。福島とは事情が大きく違う。

脆弱な県の、さらに医療過疎傾向にある地域に負担がかかれば、負担に耐えかねて医療機関は消えていく。残った医療機関がその耐え難い負担を引き継ぐことになる。日本の高齢化が進み、国家財政における医療・福祉に関わる費用の負担が増していけば、同様の「脆弱な部分のさらなる脆弱化」は各地で起こるだろう。

亡くなった院長は、病院の横に建てたログハウスで寝泊まりしながら地域医療を支えていた。その「気持ち」を、3・11後、使命感をもって県外から福島県内の医療機関にやって来た若手医師たちが引き継いで当面の高野病院の存続を図っている。クラウドファンディングを行ない、たちまち目標額を上回る寄付が全国から寄せられもした。ただ、政治・行政からの具体的な支援は限定的だ。それは、高野病院が私立の一民間病院であり公金を用いた資金投入などができないということもあるだろうが、高度に専門化し、老朽化してもいる医療福祉システムの「少しでも触れたらあらゆる矛盾が噴出しそう」な出口のなさが根底にあるようにも見える。

「老老医療」と「地域医療の負担集約」のなかで「脆弱な部分のさらなる脆弱化」が起きている。このような医療福祉の構造は日本各地にあるはずだ。個人の「気持ち」で支えられる医療福祉体制の持続可能性は低い。制度・システム的に支えなければならない。しかし、いかなる状態が最適なのか、その答えは見えてこない。

3・11から六年　福島問題の配置図

二〇一七年四月号

福島に残る五つの課題

3・11から六年。福島に残る課題は以下の五点に整理できる。（1）以前から存在したが、3・11によって悪化・顕在化した課題（2）風評による経済的損失&デマ・差別（3）ポスト復興バブル（4）福島第一原発周辺地域の復興（5）社会的合意形成。今後も断続的に福島に関する話題が出るだろうが、基本的には、この五点のいずれかのバリエーションにすぎないものとなるだろう。

それぞれの内容をざっくりとまとめると以下のようになる。

（1）は高齢者の孤立化や過疎地域からの人口流出、医療福祉システムの崩壊など、3・11前から、福島以外でも懸念されてきた課題だ。3・11によって生じた苦難の多くは、じつは3・11前から存在したものであり、3・11はそれを福島において先鋭化・加速させた。「普遍的な問題」が他所に先んじて起こったと捉えるべき部分は大きい。他方、（2）は、明らかに「原発被災地らしい」問題だ。「風評被害」といわれる一次産品や観光における売り上げや商品価格の低下。また、二〇一六年末から話題になった横浜市での自主避難家庭の子どもへのいじめ問題や、関西学院大学で外国人講師が福島出身の女子学生に対して「放射能の影響で光ると思った」と発言した問題のようなデマ・差別のことだ。

（1）（2）はすでに多くの人に認識される課題だが、（3）（4）（5）はこれから本格的に具体化する。（3）は、土木建設業をはじめとするいくつかの産業分野で起こった復興バブルのこと。それが終わりに向かおうとしている。（4）は、一度は避難指示が出され、多くの人の生活と企業活動が止まった地域において、もともと住んでいた住民の帰還や復興・廃炉に関わる仕事などのためにやって来た住民の居住が始まり、相応の対応が求められるということ。教育や医療・福祉システムをどうするかなど課題は山積する。六年間、除染をせず手付かずのままにして来た、最も放射線量の高い地域区分である「帰還困難区域」の復旧の在り方も問われる。（5）は、除染や廃炉由来の放射線廃棄物をどうするかということ。あるいは、環境や食品、健康管理における放射線との対峙においてリスクのコントロールと科学的事実の共有、不安・不満の解消にいかに予算を割くのかということ。現に生じた社会的費用を誰がいかに負担するのかという点での合意が必要な事項は多い。

解決策を想像する

これら五つの課題の配置図は3・11から五年目ごろに定まり、おそらく六年後の現在から当面は動かない。なぜ、そういえるのか。一つは、放射線について当初懸念されていた課題がここ一、二年で事実上解決したからだ。たとえば、一次産品については、福島産米の全量全袋検査では年間一〇〇〇万袋以上の検査をして、二〇一五年、二〇一六年と法定基準値を超えるものはゼロ袋となり、それどころか、機械で検出できる「検出限界値超え」自体がほとんどなくなってきた。これは厳格な調査体制を早期から確立したこと、対処すべき放射性セシウムが作物に吸収されることを防ぐ特効薬的な策といえるカリウム散布などの対処が広範に取られたことによる。野菜や海産物、人体の内部被曝検査でも同様の状況になった。いまから福島の物を食べる、あるいは福島に暮らすことによる追加被曝によって身体に悪影響が出る蓋然性は消えた。

もう一つは、復興集中期間の終わりと廃炉の本格化による。二〇一五年度までと国が定めた「復興集中期間」が終わったいま、福島県全体で見れば、さまざまな面で予算・人員の縮小が急速に起こっている。ただ、福島県のなかでも福島第一原発廃炉とその周辺地域の復興はここにきて本格化している。これまで行なわれてきた原発構内の汚染水対策、構外の除染やインフラ整備は露払い的なものだった。今後、原発のなかで溶け落ちた燃料の取り出しや、避難地域への住民の居住再開という、正解のない難題が控えている。一方、固定化したイメージによる風評への抜本的な対策はますます取りにくくなる。しつこく残った課題は手強い。

メディアはセンセーショナルな切り口で世に披露できそうな場合にのみ福島を話題にする傾向をもつ。六年も経てば仕方ない面もある。ただ、それを観る側には、課題の配置図を見ながら「結局これは何の議論をしているのか」と冷静に問い直し解決策を想像することが求められる。それが、3・11を無駄に消費することを止めるきっかけとなるだろう。

福島第一原発廃炉の見方

二〇一七年九月号

“Unknown unknowns”

二〇一七年に入って、福島第一原発の原子炉内部に対するロボット調査が本格化している。原子炉内部は、長期に及ぶ福島第一原発（以下、「1F」）廃炉作業の本丸だ。これまでの六年間は「汚染水対策」など、その本丸に向かうための地ならしの作業が中心だったが、いよいよ本丸を攻略するフェーズに来たのが現状だ。

この問題を見る上で、もっておくべき重要な視点は二つある。

一つ目は、この問題の根本にあるのが“Unknown unknowns”つまり「何がわからないかが、わからない」という問題だということだ。

ここには二つの意味がある。一方にあるのが、技術的な“Unknown unknowns”だ。私たちは、事故を起こした原子炉内部の状況のすべてをいまだつかめていない。原子炉内部のどこに何があって、温度、放射線量、水の有無・濁りなどがいかなる状況にあるのか。それがわからないかぎり作業の方針を立てようにない部分が残る。それゆえ、「原子炉内部に対するロボット調査」をはじめ、さまざまな作業が行なわれている。

もう一方にあるのが、私たちの〝Unknown unknowns〟だ。私たち自身、何がわからないかが、わかっていない。いま現場で何が行なわれ、それが何のためで、今後どうなるか。技術的な〝Unknown unknowns〟は徐々に改善されつつあるものの、私たちの〝Unknown unknowns〟はこのままずっと続く可能性がある。ただ、それでは廃炉が進められなくなってきている。たとえば、除染・賠償も含む1F事故処理費用に二一・五兆円がかかりそれは電力料金を通して国民の負担になるという話や、おびただしい数のタンクに貯められた「処理済みトリチウム水」の処分に向けた風評被害軽減の話など、私たちが〝Unknown unknowns〟のままでは判断のしようがないのに、判断の結果生じる諸々を背負わされることがすでに表面化している。その点で、私たちの〝Unknown unknowns〟の解消は重要な課題だ。

ゼロか一〇〇かの話ではない

二つ目は、この作業が「土木工事の工程」と「リスク低減の工程」との二層のスケジュールの下で動いていることだ。これは、おそらく多くの人が疑問に思っている「結局、1F廃炉はいつまで続くのか」という「ゴール設定の問題」を理解する上で必要な観点だ。1F廃炉の作業は、ゴールまで三十~四十年の時間が見込まれているが、現実的なゴールはそれより長くもなるし、短くもなる。

どういうことか。まず、土木工事の総体としての1F廃炉は三十~四十年で収まらない可能性が高い。たとえば、1F廃炉作業の本丸である格納容器内の溶け落ちた燃料の取り出しが順調に終わったとしても、その後の残り作業である、取り出した溶け落ちた燃料や、高放射線量をもつ解体した建屋をどこに廃棄するのかといった放射性廃棄物処理の問題には、住民の合意形成が必要だ。これには、技術的な解決以上に時間がかかる可能性は大きい。1F廃炉のゴールが、土木工事としてあの地が更地(さらち)になることだとすれば、その先行きはきわめて見通しづらい。

しかし、一方で1F廃炉は必ずしも「更地をめざすことが最優先のゴール」として進んでいるわけではない。現場で最も優先されているのは「事故炉である1Fそのものがもつリスクの低減」だ。この工程のゴールが「すべての住民が再避難や、農作物などから放射性物質の汚染が出ることを心配しないで暮らせること」だとすれば、そのゴールには三十〜四十年もかけずに至ることができる。たとえば、汚染水の海への漏出や作業員の被曝線量・熱中症等労災の状況など、この六年間で大幅に改善して現在に至っている。具体的なリスクを潰し、地域の住民が安心して帰ってこられる環境を整えるという意味での1F廃炉は、三十〜四十年より早期に完成に至ることは可能だ。

最近では減ってきたものの、ろくに技術的理解がないのに訳知り顔をしたがる文化人のなかには「本当は1F廃炉なんて無理なんだ」「チェルノブイリみたいにコンクリートで覆って石棺にして放っておけばいい」などと偉そうに語り、「福島が不幸であり続けることを予言する態度こそが知的である」と勘違いしている輩(やから)がいるが、まったくの的外れだ。ゼロか一〇〇かの話ではない。あらゆる困難なプロジェクトがそうであるように、コスト・リスク・ベネフィットのバランスを冷静に見据えて、ベストプロセスを辿っていけるよう知恵を出し合う態度こそ尊重されなければならない。

放射線を忌避する行動による健康被害

二〇一八年三月号

最新の科学からの指摘

東日本大震災・福島第一原発事故から七年となる二〇一八年の3・11、福島については三つのポイントがある。

一つ目は、放射線に関する議論が、規制や検査の基準を解除していくフェーズに移ってきたということだ。福島で採れるあらゆる一次産品に対する、きわめて厳密な放射線検査は、現在に至るまで続いている。福島県がＷＥＢでつねにアップデートしながら結果を公開している。

欧米の主要な基準に比べ、一〇倍以上厳格な法定基準値を定めているにもかかわらず、コメ・野菜・肉、福島県沖でとれる魚介類においても、基準値超え産品がなくなり、数年以上の時間が経過している。さらに、食品のみならず身体への影響も現在までなく、今後も生じないことが予想されることも明確化された。

多数の学術論文をレビューして編まれたUNSCEAR（原子放射線の影響に関する国連科学委員会）の報告書・白書は、その事実をたびたび指摘してきていたが、加えて昨年、日本学術会議による報告書も最新の知見も踏まえて、その見解を踏襲・増強することになった。

それらを含む、科学者に共有される最新の見解のなかで指摘されるのは、放射線を忌避する（結果的に）過剰な行動が、高齢者の死者数や疾病の増加や、小さな子やその親の心身に具体的な問題を引き起こしてきたということだ。たとえば、福島での震災関連死（避難の過程や長期化での死者）の数は地震・津波による直接死のそれをはるかに超えている。これが意味するのは避難のほうが地震・津波より人命を奪っているという本末転倒な事実だ。

この「『放射線による健康被害を避けたい』という情緒に起因した健康被害」という入れ子構造のなかで生まれる「二次被害」の存在は、広く認識されるべきだし、それなしにはこの問題は解決しないが、いまだその認識は、社会的に共有されているとは言い難い。マスコミが拡げるべきだという「正論」もあるだろうが、マスコミにも自らがその「情緒」を煽り立ててきた「脛に傷持つ」過去があること、まだ正確な知識をもつ者が組織内で主流派になれていないことから、実現されていない。

「対症療法」の必要性

二つ目は、福島第一原発廃炉のフェーズがここ一年ほどで大きく変わったということだ。ここ数カ月でも、ロボットによる新たな調査が原子炉内で進みつつあることが報じられているが、わかりやすい話ではない。あらためて、理解しやすいようにたとえるならばこういうことだ。

衝突事故なのか、墜落事故なのか、危機的な状態にある患者がいる。嘔吐、失禁をし、出血も止まらない。まずはそれらを止め、衛生状態も確保しなければならない。これまで、私たちがニュースでしばしば聞いた「汚染水問題」とは、まさにこの止血作業であり、ここに難航した。ただ、最近やっと大量出血状態は止まり、あるいは止まり切らない部分があっても、絆創膏を巻いて安静にすれば問題ないレベルになってきた。

次なる治療は何かといえば、複雑骨折・内臓破裂などへの対処、外科治療の本丸だ。それは、原子炉内部で溶け落ちた核燃料の取り出し作業だ。そして、ここ一年ほど、少しずつ原子炉内部ではその事前検査が進む。レントゲンを撮り、内視鏡を入れ、体液・組織の採取もする。これは比喩だが、実態はほぼそのままだ。福島第一原発に入ったロボットがしている作業はカメラを入れ、内部堆積物を取って成分を見ることだ。ただこの外科手術的なプロセスは、実績が国際的にも稀で、不確実性が大きい。類似事例を集めながら、少しずつ成功確率を上げて対応するしかない。

根治がベストだが、いきなりは無理で、対症療法的な対応も併用しながら進めるべきだ。負荷の大きい治療のあとには、社会復帰できるようリハビリや家庭・職場復帰のための時間を取る必要がある。廃炉についていえば、原発周辺地域の復興や廃棄物の処分など残る問題の解決だ。外科医のみ、あるいは医療者のみでは解決できない。病院を出た先のことも、いまから見据えなければならない。

三つ目は、ここまでの内容に通底するが、風評への対策に政府が本腰を入れはじめたことだ。復興庁が指揮を執り、福島の風評への対応方針を年度末までにまとめる。これまで、縦割り行政のなかで「風評」という概念の定義、重要性の位置付けも曖昧なままに、個別の対応が進められてきた。そして結局、政府の取り組みとしては、戦略の有無という点でほぼ無策のまま七年が過ぎた現実がある。

私自身、その方針の策定に一部関わっているが、具体的に成果が検証される形での制度・政策への落とし込みを願いたい。

エネルギー政策の見取り図

二〇一八年六月号

「3E＋S」というモノサシ

現在、政府によって「エネルギー基本計画」の策定に向けた議論が進んでいる。日本のエネルギー政策全体の指針を定めるもので、これまでも数年置きに見直されてきた。いま（二〇一八年）から十二年後、二〇三〇年度の電源構成について、原発二〇～二二％、再生可能エネルギー二二～二四％、液化天然ガス（ＬＮＧ）二七％などとする現状の目標など、既存の枠組みをほぼ維持する前提であり、再生エネについて「主力電源」と明記することなどを含めて、３・11後の脱原発世論を受けて改められた前回の計画と大きな差は見られない。

３・11が、それまでの日本のエネルギー政策の一つの「落とし所」の問題を露わにしたのは間違いないが、あれから七年たって、また別の「落とし所」が見つかりつつあることの現れのようにも見える。

この「落とし所」に満足している人は、おそらく少ない。不満をもちつつも、妥協せざるをえないと考えているか、さらに多くの人はそもそも興味を失っている。

無関心はさて置き、「不満」の実態を明らかにする必要はあるだろう。

エネルギー政策を論じる際、専門家のあいだでは「3E+S」というモノサシが用いられている。Sが「Safety・安全性」、三つのEは「Economic Efficiency・経済性」「Environment・環境負荷」「Energy Security・エネルギー安全保障」を指す。

安いか高いかというコストの問題である「経済性」や、CO_2排出に代表される「環境負荷」は理解しやすい。安いほうが良いし、環境に優しいほうが良いことには、反論し難いからだ。一方、人びとの「不満」の根本には、「安全性」と「エネルギー安全保障」の捉え方がある。

「安全性」とは、原発事故がそうだし、命に関わる大規模停電なども含めてリスクを回避できるのかということ。一方の「エネルギー安全保障」とは、石油など化石燃料の確保のように、政治的要因を含めてエネルギーの安定供給が可能か否かである。

これまでの、あるいは3・11以前のエネルギー政策を大きく変えるべきと考える「革新派」は前者を大きく後者を小さく見て、既存の在り方の維持を望む「保守派」は両者を分け隔てない傾向にある。

陰謀論を放置するな

ここで重要なのは、冷静、客観的に事態を語ろうとするまともな論者は、「3E＋S」それぞれを「小さく見る」ことはあっても、「ゼロだ」とは見ないことだ。

たとえば、「絶対に事故も大規模停電もない」とか「絶対に燃料確保が不安定になることはない」とはいわない。しかし、現在のエネルギー政策をめぐる議論の不幸な点は、この「ゼロだ」と見るような主張やイメージがマスメディアや多くのエネルギー政策に無関心な人びとのあいだでまかり通っていることにある。そのなかで、まともな論者の言葉が埋もれ、議論自体が進まなくなり、結果、妥協の策として、先に述べたとおりの「ちょっとだけ原発を減らし、再エネの地位も上げて、あとは突っ込まれないように黙っておく」というような「落とし所」に落ち着いている。これが「革新派」にも「保守派」にも、あるいは多くの「無関心な人びと」にも、もやもやと残る「不満」の正体だ。

そこに乗じて、二〇五〇年度までに累計九四兆円が私たち電力消費者の財布から流れると試算される再エネ業界から利得を得ようと「議論を歪める」者が跋扈（ばっこ）している。あるいは、経済性の追求のなかで、環境負荷への配慮を欠いたかたちで五〇機規模の新設計画が生まれてきている石炭火力発電が、今後に及ぼす弊害も見えてきている。

私自身は、再エネがより広く普及すべきであり、火力も不可欠、原子力はいまに至るまでに露呈したリスク・コストの甘い認識への猛省から出直すべきで、それらなしには状況は悪化する一方だと考えている。

しかし、その点、昨今世に流布するエネルギー政策論議には、あまりに盲点が多すぎて、最適解には程遠い。「政治は3・11前に戻り、原発推進を強引に進める陰謀をもっている」という紋切り型の見方がされることがあるが、本当にそんな陰謀と力学があるなら、こんな中途半端な「落とし所」には至らないだろう。

これは放置の産物だし、触れても得にならないことを棚上げ・放置することこそを最適解とする政治の意志と自覚のなさがすべての根幹にある。

復興、八年目の消化試合感

二〇一九年四月号

気概ある人や組織が存在しても

　東日本大震災と福島第一原発事故から八年を目前に、例年、福島を訪れて、いくつもの現場をまわっているマスコミ関係者は、東京に戻ってからこうつぶやいた。

「一昨年、昨年とあわせ今回の福島訪問を振り返ってみても、福島をどう見るべきかわからずにいます。

　福島第一原発廃炉の現場、除染廃棄物の搬入がはじまった中間貯蔵施設、春の避難指示解除に向けて準備をする大熊(おおくま)町の人たち、既に避難指示が解除された地域に帰還して生活をはじめた人たち。それぞれが、それぞれの信念、使命感で働いています。それは感じるのです。

　ですが、福島を離れてから振り返ると、『あれは、何だったんだろう』と思うこともある。それぞれの思いや努力が実を結ぶためには有機的に繋がることが必要だと思います」。

別の研究者は、夏に行なった福島視察の報告会で「Non Cross-over Syndrome（非共創的奮励症候群）」という造語を提示しながら、皆が懸命に尽力しつつ、どこまで進んでも互いに混じり合いそうにもない構図がそこにあると分析した。

両者はおそらく同じことを言っている。これまでに達成してきたことがあるし、やる気のある人や組織も存在する。だが先行きが見えない。めざすべきエンドステート（最終状態）が被災直後は確かだったものの、いまは不透明になっていて動きがバラバラになっている。外からみればもっと上手くそれぞれの歯車同士が嚙み合えばいいのにと感じる、と。

部分的に復興関連の工事が各地で続いているが、既に予算は大幅に絞られてきている。当事者らにその意識がなくても「消化試合感」が出てきている部分もある。

ただ、まだやるべきことは無数に残っており、あらためて、立場を超えて自覚し直す必要がある。たとえば、福島に関して今年の3・11をきっかけに考えるべきことは、以下の二つがあるだろう。

広島平和記念資料館は十年後

一つは、いよいよ原発周辺の手付かずにされてきた地域への住民の居住再開への動きが本格化することだ。具体的には、「特定復興再生拠点区域」の整備がこれにあたる。特定復興再生拠点区域とは、福島第一原発周辺地域の避難指示がかかった地域を三つのレベルに分けたときに、もっとも放射線量が高く、長期的に帰還困難との前提で除染作業も進められてこなかった帰還困難区域について、その一部を集中的に除染し、再度居住可能にしようと指定された地域である。福島第一原発が立地する大熊町や双葉町も例外ではなく、生活インフラを整えて住民との合意をとった上で多くの人の住宅が再生され、商工業地や復興祈念公園のような公共施設もできることになる。

　この作業は、世界最先端の取り組みといっていい。チェルノブイリ原発事故の被災地では線量の問題ももちろんあるが、それ以上に予算や技術が不足していて事故を起こした原発周辺地域の環境・生活再生ができていない。欧米にも同様に核・原子力開発のなかでの事故や廃棄物処分などで放射線物質による汚染を受けた地域はいくつもあるが、福島のような事例はあまり見当たらない。安全性に十分に配慮した放射線量管理とともに、十年ほど人の生活が途絶えた地域をいかに再生するか。それは困難な課題ではあるが、ここまで積み上げてきたものがあるからこそ設定可能になった目標でもある。

　もう一つは、記録・記憶の継承と学びの場づくりだ。これはいま、被災地各地で、本格化している。ただ復興予算がなくなっていくのを前に、焦ってハコモノだけをつくっている現実もないわけではない。だが、その内容が充実し、後世にとって不可欠な学びを提供するのであれば、ハコモノをつくること自体は必ずしも悪いことではない。とはいえ、八年も経つなかで既に重要な記録・記憶が散逸（さんいつ）しているところもある。

海外からの来訪者にとっても人気の訪問先となった広島平和記念資料館は、一九五五年に完成している。あの混乱のなかでも十年でスタートを切った。阪神・淡路大震災についての展示をする人と防災未来センターは二〇〇二年完成で、震災から七年目にはできていた。復興に中長期的視点を入れる意義は大きい。リーダーシップと明確なビジョンをもちながら記録・記憶の継承と学びの場づくりを急ぐべきだ。

イギリスの廃炉百年計画

二〇一九年十月号

英国・セラフィールドでの廃炉作業

日本国内で海外の原発（事故）が語られるとき、しばしばチェルノブイリ原発とスリーマイル島原発が取り上げられる。しかし、世界にはほかにも事故の事例、また事故に至らずとも廃炉作業が進められている事例は多数ある。国際的な先行事例を正確かつ広く把握することなしに議論の質は上がりようがないだろう。

そんな思いから、先月、英国北西部、カンブリア州にあるセラフィールドを訪れた。セラフィールドは原発と核燃料再処理工場を敷地内に抱える巨大な施設で、第二次世界大戦中には英国の核開発の拠点となり、戦後、西側諸国で「核の平和利用」が唱えられると英国内でも世界でも最初期の商業用原子力発電が始められた場所でもある。一九五七年には世界初の原子炉における過酷事故、ウィンズケール火災事故を経験。そのほかにも老朽化した原子炉が敷地内に複数存在していて、その廃炉作業も進められている。たとえるなら核燃料再処理工場がある青森県六ケ所村と国内初の原発の廃炉が進む茨城県東海村、原発事故を経験した福島県双葉郡とをかけ合わせたような場所といっても過言ではない。

特筆すべきは、セラフィールドがその敷地内で進める廃炉作業を達成するゴールを百年先である二一二〇年に設定するとともに、現在年間二〇億ポンド規模の資金を国が投入しているということだ。つまり、国が百年先の結果を国民に約束し、国民も日本円にして年間二六〇〇億円の費用負担を許容している。一方で、二〇一一年に事故を起こした福島第一原発の廃炉に目を向けると、廃炉計画において見通しが立てられているのは三十～四十年にすぎず、年間二二〇〇億円ほどに及んでいる必要経費の大部分は最終的に東京電力が負担するが、その原資は電力消費者が支払う電気料金だ。

日本の棚上げ主義

両者を見比べたとき、いうまでもなく、日本社会で「膨大な廃炉費用は税金から国民負担として払います。百年先までかかるので宜しく」なんていう話が通るとは考えにくい。セラフィールドにおいて「英国ではなぜそんな枠組みが可能になったんだ」と聞くと、「廃炉はいつか誰かが絶対に進めなければならないものだし、そこに国が関わるのは、それだけチャレンジする価値があるということだ」「費用やリスクを考えてもっとも合理的に考えた結果こうなった。時間をかけることで放射線のリスクを抑え、地元の雇用も安定するだろう」と、逆に何が不思議なんだ、という顔をされる。

もちろん種々の前提条件が違うなかで日英の廃炉事情を単純に並べることはできない。それでも、少なくとも「世代を超えて行なわれる国家プロジェクト」を構想し、推進する土壌は、二〇一一年の事故を経験したトラウマが生々しいことを差し引いても、日本には欠けているといわざるを得ない。

「廃炉に百年」という話は、ただ答えを先延ばしにしているというわけではない。同じく英国、スコットランドにあるドーンレイという英国内の高速増殖炉の開発などを担(にな)ってきた施設でも九〇年代までに止まった施設群の廃炉作業が進む。そこでは、二〇三六年までに廃炉を暫定的(ざんていてき)に完了する計画になっている。「暫定的」というのは、放置したらリスクが高い設備の解体・片付けをできる範囲で進めて、長期間、安定的に、周辺環境に悪影響を与えないかたちで廃棄物を保管できる状態を達成するということだ。その後の監視期間は数百年単位の長期にわたることが想定されるが、費用や周辺環境への負担・リスクは抑えられる。実質的な廃炉作業の期間と予算を削るために暫定的なゴールを定め、段階を踏むわけだ。

この対比は、日本社会の特性を浮かび上がらせる。取り組むべき困難が目の前にあれば、公共の取り組みと位置づけ、そのゴールまでの道筋を描き、それが難しければ段階を分けて中間的ゴールを設定し、めざす。きわめて合理的だ。それに対してゴールや担い手の所在の確定を「棚上げ」して、曖昧な合意形成と暗黙のうちに進む負担の分有のなかで時を過ごし、解決を待つ。そうしないと事が進められない。この「棚上げ主義」は日本の特性であり、良さでもあり、悪さでもあっただろう。

世代を超えるような構想はできないし、しない。誰かが責任をとっているようで、誰もとっていないようでもある。その曖昧さ、日本らしさが日本の抱えるさまざまな課題の根底に共有されてはいないだろうか。

解決が困難な四大難題

二〇二〇年三月号

シンプルな問題

３・11から十年目を迎えようとしている。今年は、復興の確かな進捗を感じることができる動きも多い。原発事故被災の中心地、福島第一原発近郊地域では二〇二〇年三月十四日から、ＪＲ常磐線の３・11以来の不通区間の平常運転が再開する。東京五輪に向け、福島第一原発が立地する双葉町・大熊町などで聖火ランナーが走ることにもなっている。

無論、被災地の復興に向けた作業は途上にある。当初は十年間の時限付きで設立された復興庁も二〇三〇年度まで存続することになった。

さらにいえば、あと十年かけても解決が困難に見える問題も存在する。たとえば、（1）福島第一原発構内に貯められ続けている処理水を皮切りにした廃炉関連廃棄物の管理・処分、（2）福島第一原発周辺にある中間貯蔵施設に置かれた福島県内の除染土壌などの廃棄物の二〇四五年までの県外搬出、（3）甲状腺がん検診をはじめとする原発事故後の健康管理に関する制度・政策の総括、（4）自主避難をはじめとする長期避難など原子力災害特有の被災者行動への公的対応の持続――といった原発事故由来の問題は難題だ。

本稿で、「四大難題」の詳細に触れることはしないが、（1）と（2）は、原発事故によって発生した放射性物質の処分に、経済的費用とともに社会的合意形成のためのコストが肥大化している問題だ。

一方の（3）と（4）は、全体から見れば少数ではあるものの、一部の人びとには根深く残る事故由来の被曝による健康不安とそこに対処すべくつくられた制度・政策が、時間の経過のなかで存続する根拠を失ったり、当初の意図に反した効果を生み出しはじめて混乱したりしている問題と、まとめることもできるだろう。いずれにせよ、これら自体は先端的な科学技術や莫大な予算が必ずしも必要だというわけではない、シンプルな問題だ。

政治とメディアの無力さ

ただ、そのシンプルさは、政策的に解決が容易だということを意味しない。ある復興にかかわりの深い行政幹部は「解決してきた他の問題と違い、もはや政治・行政がどうにかできる問題ではない」と語る。また政治は、ことごとくこれらの問題を無視してきた。与野党を問わず、現実に沿った解決策を提案しようと触れれば、揚げ足をとられ支持者を失うリスクが高いからだ。処理水の処分について、ここ半年で原田義昭前環境相や日本維新の会関係者、細野豪志衆議院議員らが、悪しき均衡を崩そうと処分に向けた具体策を提起しているが、大きく波及することはない。

マスメディアでは、社内の「変わり者」が、無理解と浅い取材をもとにデマまがいの情報を垂れ流すことはあっても、能力の高い記者が専門知と深い取材が求められるこれらの問題に対して、本質をつくような報道をするような状況ではない。一方で、現実を捻じ曲げてでも福島が不幸だという前提をでっちあげ、それを喧伝することが、支援者や寄付金の獲得などにつながる構図のなかに生きる活動家やその共生者は、議論を混乱させるべくフェイク情報をインターネットなどで流し続ける。もはや、〝普通の人〟が、この四大難題に向き合おうとしても、その解決に資する言説リソースにたどり着くこと自体が困難になっている。

一ついえるのは、利害関係者たちにとっては現状が程よく悪い状態であり、程よく良い状態でもあるということだ。悪しき均衡状態を崩すアクターは当面登場しそうにない。ポジショントークに終始する利害関係者と、その欺瞞を欺瞞と見抜けない大方の人びとがこの構造を持続させている。

解決の術（すべ）を見つけられないなか、いまは長期的に向き合うべき問題であることを覚悟して、試行錯誤しつつ、遠回りに見えても教育・人材育成のなかで難題に向き合える力をもつ人材を育てていくことは重要だ。ＯＥＣＤは二〇三〇年、十年後に社会に出ていく現在の子どもたちが身につけておくべき行動特性に「新たな価値を創造する力」「対立やジレンマを克服する力」「責任ある行動をとる力」の三点をあげる。

「目の前にある困難を無責任に他者のせいにすることばかりにかまけ、対立やジレンマを調和することなく棚上げし、既存の価値観に縛られ安住する」。四大難題はまさにそんな現代社会のさまざまな難題に通底する、未来に変化していくべき現実が凝縮されている問題でもある。この普遍性の自覚の上に、課題の解決の道筋は開けていくのだろう。

「経験」から「歴史」への転換点

二〇二〇年四月号

「パプリカ」は鎮魂歌？　ネット上の仮説

米津玄師（よねづけんし）が作詞・作曲した「パプリカ」は一昨年（二〇一八年）、昨年（一九年）とNHK紅白歌合戦で演奏され、いまも同局のみならず町中でよく流れている。

この曲について、インターネット上である話題が盛り上がっている。それは「そうとは明示されてはいないが、じつは『パプリカ』は3・11の犠牲者への鎮魂歌ではないのか」と指摘する議論だ。その趣旨はこうだ。

NHKの「2020応援ソング」とされる「パプリカ」は、子どもの踊りとともに歌われる前向きで明るいイメージが強い一方、その歌詞を追っていくと、具体的に二〇二〇年の東京オリンピック・パラリンピックにふれているようにみえる部分は見出しにくく、少し影があるような言葉や前後の文脈から理解しにくい文が存在する。

たとえば「見つけたのはいちばん星」という部分がある。唐突な表現だ。何かを探しても見つからず、光が失われていってしまった情景が読み取れる。そんな「何か」を仄めかすような言葉が続き、「花が咲いたら晴れた空に種を蒔こう」という歌詞もある。やはり、空に何かを見出そうとしている。もしかしたら、もうこの地では会えなくなった「災害の犠牲者」を、誰かが探しまわっているのではないか。そんなふうに遺族や遺された友人の視点で歌詞を捉え直していくとどうだろう。すると、この曲に新たな意味が浮かび上がってくる——。

この曲を耳にしたことのある人は多いだろうが、歌にあわせてつくられるミュージック・ビデオには、複数のバージョンが存在する。たとえば、米津自身が自らこの曲を歌ったバージョンにつけられた映像は、幻想的なアニメーションだ。そこには風になびき続ける赤いマントをつけた少年（少女にも見える）が登場する。少年は夏の海辺の街の風景のなかで友達と遊んでいるが、あるとき、ただ一人で空を駆け上っていってしまう。それでも子どもたちの目の前に現れる少年に、友人は花を集め渡す。すると少年は大きな風を起こし、その風にのって無数の船や魚が空に上っていく……。

「夏が来る影が立つあなたに会いたい」「一人一人慰めるように誰かが呼んでいる」「喜びを数えたらあなたでいっぱい」など、印象的な歌詞は悲劇の春が過ぎ去り行くなかで遺された者たちの心のなかに膨らむ喪失感と、それが膨れ上がるほどに際立つ亡き人の存在感、そして過去への眼差しが暗示されているようにもみえる。

「2020応援ソング」ではあるが、「2020」とはいっても「オリンピック・パラリンピック」と明言するわけでもない。中途半端な表現には、「3・11から十年目」という意味も込められているのだろうか。そう見たときに、歌詞に唐突に挿入される「ハレルヤ」という「神への賛美」を意味する宗教的な概念は、犠牲者への思いを表したものに転化する。そして「パプリカ」という中身がなく、ほかの歌詞との繋がりがとくに見えるわけでもない野菜の名称も、その花言葉が「君を忘れない」であるという事実と接続し、全体をまとめ上げるものとなる。

こういった複数の指摘がインターネット上で盛り上がり、さらにそれを何人もの人びとがSNS上で自らの感想とともに拡散している。

歌詞のはじめの部分に出てくる「青葉の森」という言葉。これは、仙台に居住したことがある人間にとっては、かつて伊達政宗が築いた「青葉城」に由来する青葉、またしばしば「杜の都」と称されるなかで用いられる「杜＝森」を用いていることから、東北の中心地・仙台を指している言葉にしかみえない。また先にもふれた「花が咲いたら」という部分は、同じくNHKが3・11を受けて企画制作したチャリティソング「花は咲く」に対応するものであり、両曲の歌詞を並べると「花」や「いちばん星＝夜空」をはじめとする共通項が見つかり、犠牲者と遺族のあいだの返歌になっているようにみえる、という者もいる。

いずれにせよ、二〇二〇年というのは、東京オリンピック・パラリンピックの年であると同時に、二〇一一年の3・11から十年目を迎えるタイミングでもある。米津はそこを歌に込めたに違いないと、その議論にかかわる人びとは感じているのだ。

「解釈ゲーム」の意味

しかし、この議論の妥当性はいかようか。

じつは、インターネット上で展開される「パプリカ」の歌詞の解釈論を見渡すと、「パプリカ＝3・11鎮魂歌」以外の説も存在する。たとえば、「パプリカ＝原爆犠牲者鎮魂歌」説だ。先にふれた「パプリカ」のミュージック・ビデオに出てくる「赤いマントの少年」は広島の「原爆の子の像」の姿に似ている。両者の姿を重ね合わせてみると、海辺の街は広島のようにもあるいは長崎のようにも見える。一九四五年から七十五年という、日本人の平均寿命を考えれば当時の子どもの多くが人生を終え、完全に忘れ去られていくタイミングで、この曲が生み出されたのだ、という説だ。

こういった話にもふれてしまうと、よくできているようにみえた「3・11鎮魂歌」説も、屁理屈でこじつけた話にみえてくる気がしてやや興ざめにもなる。

ほんとうのところはどうなのかと追求しきるのであれば、最終的には米津自身やミュージック・ビデオの製作者の見解を問うしかなかろう。もしかしたら、「青葉の森」が仙台をイメージさせ、そこに東北が描かれているなんていう発想など、とくに東北にゆかりがない米津にはまったくないのかもしれない。海辺の街の風景は米津の出身地である徳島の沿岸部の風景で、ミュージック・ビデオもたんに情緒的につくり込んでいったら結果的にああなっただけだ、という話なのかもしれない。

「2020応援ソング」という言い方も、たとえばオリンピック・パラリンピックという言葉を公的な場で表看板に使うと権利関係がややこしくなるとか、復興のことを忘れたのかという批判もありえるからリスクヘッジしようという「大人の事情」の要素が強いのかもしれない。意外とそんなドライな事実こそが真実であっても驚きはしない。

しかしながら、この「妥当性の曖昧さ」は、「勝手な解釈ゲームに興じることが無意味だ」という結論には直結しない。むしろ私たちが3・11から十年目を迎えるなかで、3・11をめぐって多様な解釈をしたくなってしまう作品があり、私たちの側にその余地・余裕がでてきたタイミングであるということには、小さからぬ意味があるだろう。

それは世界の豊穣さを担保し、私たちがいま生きる社会を時間や空間を超えて、歴史と結びつけ、自分たちの立ち位置を再確認することに繋がっていく。ときにそれは死者と自分たちとを繋げ、あるいは未来を生きる世代と出会う機会をも私たちにつくる。不条理を消化し、その糧を私たち自身が血肉化していく機会にもなる。

3・11から数年の緊迫した状況のなかでは、解釈の余地の上を私たちが歩き回る余裕など社会にはなかった。まずは事実をあぶり出し、その上で当面の答えをみつけ実践し、トライ・アンド・エラーを続けていく。まったく先行きが見通せない宙ぶらりんな状況のなかでできることは限られていた。

目の前で起こるあまりにも不条理で複雑な事実に耐えられなくなった者は、単純化された陰謀論や、一つの救世主を定めることに囚われるような、多様性に開かれた解釈ゲームとはまったく反対方向にある志向に流れていっていた。それは、ここ九年で3・11とは関係のないあらゆる場で加速し続けているようにもみえる「うだつの上がらなさからの一発逆転策」や「怒りの告発」を大衆が求め、蕩尽し続けるゲームの走りであったともいえるだろう。

「経験」から「歴史」への転換点

3・11が「一昔前」になろうとしている。あのときにはなかった余裕を得るなかで、そこに関心を失う人が一定程度いることは当然だし、それは同時に多くの被災者があのときに失われた日常生活に戻りつつもあることを示している。

ただ、その日常生活に回収しきれない部分、すなわち、もはや戻ってこない犠牲者をいかに思い続けるのか、まだ変えるべき余地のある未来をいかに考え続けるのかというような残余が、いま私たちに突きつけられている。「パプリカ」をめぐって、人びとの想像力が喚起されたのを、その残余への無意識的な反射と捉えることもできるかもしれない。

いま、3・11は「経験」から「歴史」に変化していく地点にある。これからは、当時の記憶が曖昧であったり、そもそも持ち合わせていない世代が社会の中心を構成したりして、当時のさまざまな意思決定にかかわった人間はその役割から離れて久しくなる。膨大かつ断片的な記憶や記録に残る経験の一部だけが後世に向けて残り歴史になっていく。その転換点に立つなかで、私たちが意識すべきことは何か。

私は、その多様に語りうるテーマについて、これまでもふれてきたのでその詳細に再び立ち入ることはしないが、そこで書いてこられなかったことも含め、全体を貫く大きなポイントは三つあると考えている。

意識すべき三つのポイント

一つ目は、「復興が進み、はじめは全体が闇に包まれていたところに射す光が鮮明になるほど、その影の部分がより鮮明になっていく」ということだ。

たとえば、宮城県丸森町は県南部の内陸の地域で、3・11の際には宮城県沿岸部から津波で避難をしてくる人の受け入れをはじめ壮絶な経験をした。同時に、福島県相馬市や新地町と隣接する位置にあるため、福島第一原発事故由来の放射性物質が一定程度飛来した結果、生産された一次産品の安全性が確認されたあとも風評被害に苦しんだ地域でもある。丸森町にとっての苦難は、とくに後者だった。それは、福島県内であれば風評被害対策のさまざまなサポートがあるのに、すぐ隣にあってもそこが宮城県であるという理由でサポートが大幅に手薄になり、問題がより深刻化したということだ。無論、福島の側もサポートがあったからといって、すべての問題が解決されたというわけではないが。

しかしそもそもサポートそのものがない、そのこと自体も周りから認識されていない盲点になってしまった。そして昨年の台風一九号では多数の死者・行方不明者と家屋の倒壊・浸水の被害が発生した。

ただでさえ弱っていたところがますます弱くなり、何重もの課題が折り重なりのしかかる罠のなかに嵌ってしまう状態。この「罠」は丸森町の例に限らず、さまざまな場所・対象の足元に存在し、いまもその一部を苦しめている。こういった影を影のままにせず、それがまず存在すること自体を周知して周囲からサポートすることは今後も重要なことだ。

そこにある問題は、災害の被害というよりは、より普遍的なものでもある。つまり、少子高齢化や地域産業の衰退、医療福祉システムの破綻、コミュニティの崩壊といった全国の被災地ではないほかの地域でも存在する問題だ。それにより早く、速く、厳しく向き合わざるを得ないことが困難の根本にある。

二つ目は、「復興が深化するほどに復興の弊害があぶり出されていく」ということだ。

最近も毎月のように、福島第一原発事故の被害に対して東京電力から支払われる賠償金を詐取（さしゅ）した者が検挙されるニュースが流れる。一方では、いまも東京電力に対して住民が賠償金を求めて起こしている訴訟が定期的にニュースになっている。この両者が同時に存在するアンビバレンス、つまり、「復興が不十分だ」とする人と、一方で「復興の過剰さ」を不当に利用しようとする人とが同時に存在することは、いまの「復興」の置かれた複雑さを示している。

かつては「復興」とは何かということが盛んに議論された。官のレベルでも民のレベルでも、先行きが見えないなかで、なんとか進む道を見つけようと、理想が込められた「復興」なるものが論じられ、たとえば、たんに災害で壊れたものを直すだけでなく、次世代のモデルになるような社会のあり方を提示するのが復興だというようなチャレンジングな姿勢がさまざまな位相で示されていた。

その理想の復興が完全に失敗したとは思わないが、しかし理想通りにならなかった部分も大いにあっただろう。同時に、復興が理想を実現する手段ではなく、復興自体が目的になる、具体的にいえば、それを食い扶持（ぶち）としたり、そうではなくても、それを個人・地域の唯一のアイデンティティとして視野狭窄になったりすることが依存症的に、同時多発的に起きている状況がある。あのときに崩れた地域の内部の派閥や外部との癒着が復活し、その一部は不健全なかたちで復興を燃料として閉鎖的・内向的な「ムラ社会」を再構築し、それが地域の課題解決の棚上げを促すようなこともよく目にする。

良き方向に変わっていくきっかけにもなり得た、あのときに思い描いた「復興」に再度向き合うために立ち止まり、その点を検証することは重要だし、新たな理想を立て直すことも必要だ。復興が進んでいない・終わっていないと叫び続けるのは容易いし、必要なことでもある。ただ、それ自体が目的になってはいけない。私たちは結局、最終的にどうなりたいのかという「エンドステート（最終状態）」を、ある程度先行きの見えたいまだからこそ、論じ直すべきだ。

三つ目は、「次世代への視点の欠如」だ。

ここ数年で、3・11の被災地には「伝承館」などの名を冠した、災害の記憶・記録を伝えることを目的とした施設が整備されてきた。ただ、それが経営的にも、その展示・収蔵品的にも、どこまで未来を見据えてそこに存在しているのか、煮え切らないままにとりあえずそこにつくられているように見えることも多い。

たとえば、世代が一つ循環する二十年から三十年先の社会で、3・11がどう捉えられているべきなのか。いまから二十五年前はオウム真理教事件があり、その二十五年前は学生運動が退潮に向かう一方、公害問題や第三世界の抱える問題への自覚が急速に高まった時期であった。さらにその二十五年前は一九四五年、第二次世界大戦が終結した年だ。このようなモノサシをもって見たときに、たんに「3・11が風化してしまった」というような紋切り型の言い方では捉えられないレベルで、社会の根底にある価値観、人びとが共有する意識の変化が起こることを自覚できるし、その自覚の上で、次世代を見据えながら3・11の捉え方を整理していくべきだろう。

これまでは難しかったのは仕方ないにせよ、これからはそのような長期的な視点をもつ必要がある。

いかに専門知を活用するか

二〇二一年二月号

ある風車への幻想と幻滅

福島県楢葉（ならは）町には天神岬（てんじんみさき）という風光明媚（めいび）な場所があり、その温泉からは、太平洋に昇る日の出が見られる。敷地の端にある小さな展望台には、双眼鏡が設置・固定されている。沖合二〇kmに設置された浮体式洋上風力発電の風車を見るために設置されてきたのだ。

先日、この風車の全撤去の決定が報じられた。楢葉町は福島第一原発から二〇kmの内側に位置し、町全体が立ち入り禁止になった経験をもつ。その沖につくられた風車は3・11からの復興と再生可能エネルギー時代の象徴になると謳われてきた。だが、六〇〇億円ほど投じてもその採算が見込めず、追加で五〇億円かけて移送・解体されることが決まった。

当初、この実証研究の先に、売上三〇〇〇億円と雇用五〇〇〇人が生まれ、漁礁（ぎょしょう）としての漁業への効果も見込めると喧伝されていた。その可能性はいまもあるのだろう。事実、北海道、青森、秋田など、一定の風が安定的に吹く可能性がある地域で風力発電の導入は拡大している。ただ、復興バブルのなかに紛れた実験が一つの終わりを迎えたのは確かだ。

目新しい科学技術にバラ色の未来を夢想するが、時間経過がそのナイーブさと視野狭窄を露呈させ、現実の前に皆が失望する。「失敗のなかで得たものもあるから次は頑張ろう」という見方もあるだろうが、たとえば同じ台詞を二〇一六年に廃止が決定した高速増殖炉もんじゅに対して述べる専門家もいた。専門家と違い、少なからぬ人が風車への過剰な幻想をもっていた時期があったのは確かだ。3・11と同様の幻想と幻滅の反復がそこにある。

「対話型専門知」の可能性

現在、コロナ禍の第三波を迎えているといわれるが、現代社会と科学技術を取り巻く専門知との関係にも三つの波があったと英国の科学社会学者、H・コリンズらは論じてきた。

第一波は五〇－六〇年代。第二次世界大戦後、先進国において科学技術が急速に発達し、人びとの生活を豊かにした時期、専門知は純朴に信じられていた。しかし、公害やオイルショックなど専門知を盲信していてもぶつかる壁が明らかになる七〇年代以降、第二波が訪れる。「市民」の参画を重視する視点だ。専門知は暴走し、自らの利害のために情報統制する。

だからそれを、市民が正すべきだと。この専門知への不信感が現代にも続いていることは、コロナ禍に対するマスメディアでのスキャンダラスで劇場化された議論をみても明らかだ。一方、近年、これとは違った第三波も生まれている。それは、いかに専門知をしたたかに活かす道を模索するのか、という立場だ。

3・11でもコロナ禍でも、何か科学技術を取り巻く事件が起こるたびに、極度に専門家不信が進んで、科学やそこに発生する政治的・経済的利害を貪る人間とその食い物になる人びとが一定数生まれる。教条主義的市民参画の追求は専門知を改善するのではなく、たんなる反専門知主義、専門知の外にある有象無象を寄せ集めることだけを善とするカルトをつくる。科学的ポピュリズムはウケ狙いと、真実・正義の不問を生む。

いかに専門知を活用できるか。科学と政治・社会との「時差」と「責任の所在」の問題は重要だ。ある専門知が科学的に合意されるまでには一定の時間がかかる。一方、政治的・社会的合意形成は、つねに早急になされる必要性に急き立てられる。この時間感覚の差は、同じ現象を目の前にしても、科学（者）と政治（家）・社会とのあいだにまったく違う態度を生み出す。これが政治・社会の側に、判断と責任所在の真空地帯を生み出してしまう。第一波のように専門家を盲信する、第二波のように「市民」が専門家を叩き直し、ときに叩き潰す。これらいずれの極端な態度も、一般の人びとが専門知を上手に活用するという前提をつくることからは程遠い。

コリンズらは、科学や技術のプロたちの役に立つ「貢献型専門知」とそれを一般の人にも役立つかたちに加工された「対話型専門知」とを分けて、後者の可能性に注目する。3・11よりもコロナ禍のほうが「対話型専門知」が活きているようにも感じる。私たちは失敗の反復のなかでも、多少は進歩しているのかもしれない。

楢葉町の双眼鏡の横には、洋上風力発電の風車の説明パネルが置かれてきたが、撤去が決まるだいぶ前から表面は風化して剝(は)がれていた。そこに対話はあったのだろうか。

あとがきにかえて――なぜ盲点は盲点であり続けるのか

本書に収めたいくつかの議論のなかで、しばしば「このような問題を前に私たちは立ち止まり、冷静に広い視野のもとで考え直すべきである」というようなお仕着せの立場でのまとめ方をしてしまったことをやや恥じている。

そもそもどんなに筆が立つ論者だろうとまとめ方のパターンなど限られているし、「そうとしか言えないからそう書いているんだ」と言い訳する自分がいる一方、でももっと何か書きようがなかったのか、と無芸な自分を呪いもする。

そんな思いの背景にあるのは、紙幅の限度もあるなかでも、私たちが見ていると思い込んでいて見えていないもの、指摘されて初めて気づくこと、すなわち〝盲点〟を私たちが改めて確認する機会をつくっていきたい、それこそが現代社会に生まれるさまざまな齟齬（そご）を是正することにつながるだろうという意識だった。そして、それが自分のなかのどこから湧いているのかというと、3・11の危機のなかで量産された、権威をもち時に権力をふるう立場にある既成言論人の、ただの役立たずならまだ良い、実被害を拡大させることに加担する体たらくへの憤りだった。

3・11の前後で、あるいはここ十年で自分自身の内実はほとんど何も変わっていないが、変わった部分があるとすれば、危機を常に意識するようにはなったということだ。それは、普段、高尚で上品で知的な風を装いペダンチックなことを言っては学会なりメディアなり政治の場で自らを教祖とするカルトをつくろうとする論者が、危機のなかで何もできない、時にそれを隠すためにまともな議論の足を引っ張りすらすることへの失望と憤怒の上にある。何かあってからでは遅い、そうなる前に先んじて盲点を論じておくべきだ。この危機への感覚を基礎づけたものは、私にとってはおそらく死ぬまで消えぬ原体験となり、仕事を支えていくだろう。

「3・11のほうがまだマシ。最悪なのは年金」

いまとなってはだいぶ前のことのようにも感じるが、新型コロナウイルスの話題も出はじめたかどうかというちょうど1年ほど前、3・11から十年を振り返るために、ある識者に聞き取りをしていた。私はその人に「日本は3・11以前のことを3・11に活かし、また、3・

11をそれ以後のさまざまな問題に活かそうとしてきているのか」という旨、尋ねた。つまり、この国のガバナンスは定期的に訪れる不条理のなかでの失敗を糧に何らかの進歩をしてきているると見る余地はあるのかと確認したのだった。

その人は二〇〇七年に世間を賑わせた年金記録問題にも関わった人だった。3・11の四年前のこの問題と、3・11の問題への対応とを比べて、「3・11のほうがまだ良いと思う。年金のほうは最悪だ」と答えた。

持ち主不明の年金記録が約五〇九五万件あることが発覚し、杜撰(ずさん)な管理体制が明るみに出た。国は早急に対処しようとするが空転する。その数は膨大で、持ち主とデータを結びつける手がかりが皆無な記録も相当数含まれている。すべてを根本的に解決することはどう見ても不可能だった。にもかかわらず、問題発覚時の第一次安倍内閣も、政権交代後にその対応実務を担うことになった民主党の各内閣も、さらにその後政権に戻った第二次安倍内閣も、それぞれが一度は野党の立場からこの件で厳しく政府に対応を迫った経緯もあるからだろう、「最後までがんばります」と頭を下げて見せながら、できぬ約束に税金を投入し続ける棚上げの構図がいまに続く。

少なからぬ人がこの問題を意識することこそ無くなった。だが、これまで払ってきたはずの年金の記録が無かったことになりっぱなしの人が膨大に存在する。ここまで問題をきれいに温存するような対応をしてしまったのに比べれば、十年経っても、一応は〝解決すべき課題〟として意識され扱われ続けている3・11への対応はまだマシだ、とその識者は指摘したのだった。

無論「まだマシ」だという話でしかないし異論もあろうが、これはこれで一つの見解ではある。私たちに忘れられ、知らぬ間に悪影響を与え続けている何かが社会には常にある。その無意識化された害悪が積み重なった歴史的重層性の上に社会は足場を置いている。これを私たちが意識し直すことは、私たちが歩むべき新たな道を探す上で不可欠なことだろう。

年金記録問題があったから3・11の被害が多少は軽減された部分があり、3・11があったから新型コロナ禍の被害が多少は軽減された部分がある、とどこまでいえるのかはわからない。ただ、人が失敗のなかで進歩するように、国もまたさまざまな経験のなかで変化していく部分があるのは確かだろう。その変化が良い変化なのか、それが人びとのためになるのか否かという点はまた別に検討する必要はあるにせよ。

ある社会の価値観を根底から揺るがすような不条理な経験。これは常に、不定期かつ断続的に、さまざまな形とインパクトをもって私たちの眼前に現れる。少し前まで、中国からの観光客が爆買いする姿を通してインバウンド観光の盛り上がりを伝える映像が毎日のようにテレビから流れていた。あのとき誰が、疫病で世界が大混乱に陥る未来を想像できただろうか。

しばしば不条理は社会のゆるやかな変化の連続性を突如断ち切り、私たちを新たな位相に跳躍させる。現在の現役世代にとってはオウム事件や阪神・淡路大震災、9・11、リーマンショックなどがその不条理の共通体験として思い起こされるだろうし、身近に感じることはなくてもIS（イスラム国）の衝撃や、米国トランプと北朝鮮金正恩（キムジョンウン）との舌戦のなかでの核戦争への緊張感の高まりという、ここ十年のうちの経験を思い浮かべる人もいるかもしれない。いずれにせよ私たちの生きる社会は不条理な経験を経た歴史的重層性の上に立っていることを、もう少し意識すると得られる視座もあるのではないだろうか。

二〇二一年の歴史的重層性

二〇二一年とはいかな歴史的重層性のなかにあるのか。たとえば、一九四五年という、近代日本にとって最も価値観を根底から揺るがされた点を中心に置いて、その向こう側の、点対称の位置に何があるか参照してみるとどうだろう。

二〇二一年から一九四五年までの間には七十六年という歴史的距離がある。では一九四五年の向こう側にも、同様に七十六年という歴史的距離を置くと何があるか。そこには一八六九年、つまり、戊辰戦争の終結の点がある。それはつまり、近代日本の黎明においては不可欠な通過点であり、国民国家の内と外との線を引く主体が立ち現れた瞬間でもあった。

一方、二〇二一年から、近くに佇む大きな不条理、3・11のあった二〇一一年まで遡れば、そこには十年の歴史的距離があるが、逆に一八六九年から十年間こちら側に視点を移すと、そこには一八七九年、つまり琉球処分という、いまに至る国民国家の内と外との線が明確に可視化された点が浮かび上がってくる。

そこに現れた線を引く主体は、内と外を分断する線をさらに外側に移動させようと欲望する。それはさらに十六年間の歴史的距離の先にある一八九五年の日清戦争の終結に結実する。

この十六年間という歴史的距離を助走した上に始まったのが、植民地の獲得を進め、外部にある人や資源を近代化の加速のために利用する「外へのコロナイゼーション（植民地化）」だった。内と外を分かつ線の拡張は半世紀にわたって続く。しかし、一九四五年の敗戦の経験は、風船がしぼむように、それまで膨らみ続けてきた線を瞬時に収縮させた。

利用すべき外部を失った国民国家は、次にその内部にある人や資源を近代化の加速のために利用する「内へのコロナイゼーション」にその動力を切り替える。既に近代化を遂げた地域はもちろんだが、そこから取り残された後進地域を開発し、またその人材を活用していった。時にそれは看過できない格差や公害を露呈させ葛藤を生むこともあった。ただ、その構造が近代化を進める基盤であるがゆえに構造自体が覆ることはなかった。つまり、〝内部にある外部〟を活用することで、線の内を強化し、外との緊張感のなかで生きのびるための競争力を獲得していった。この「内へのコロナイゼーション」は強力で、日本を世界有数の経済大国に育て上げた。

しかし、これもまた、半世紀という歴史的距離を走り終わるころに弱体化を見せ始める。一九四五年から五十年後の一九九五年、それは阪神淡路大震災・オウム事件という大都市直撃型の二つの社会危機の起きた年として記憶される一方、Ｗｉｎｄｏｗｓ95の発売やＷＴＯの発足に象徴される情報化・グローバル化の急速な進展の始点にもある年だった。大都市の危機は、当初は大都市に集中する機能を地方に分散させる動きに接続するかに見えた。情報化・グローバル化はそれまで五五年体制が支えてきた政治・経済体制を根底から刷新していくようにも思えた。だが、実際に起こった大きな流れは逆だった。

大都市には機能と資源がより集中するようになり、その魅力に惹きつけられ続ける人的資本を活用することで、競争力の維持・拡大が進められた。地方は、人材・食・エネルギーなどの供給で大都市を支える役割を続けるとともに、弱肉強食の地域間競争のなかで常に競わされるようにもなっていった。スター地域とそれ以外との明暗も、これまで以上に明確に分かれるようになった。この一九九五年以降の時空間のなかで、国民国家の内と外との線を引く主体自体が不可視化しはじめる。

十六年という歴史的距離（琉球処分＝「内と外との線の可視化」から、日清戦争勝利＝「内と外との線を外側に移動」までに該当する）は、一九九五年から後の日本の時空間を根本的に変質させた。その変質は二〇一一年の3・11に帰結する。少子高齢化・過疎化、医療福祉システムや地域コミュニティの崩壊、インフラや危機管理の脆弱性といった、見て見ぬふりをして済ませてきたものが私たちに襲いかかってきた。この事態を前に、それ（見て見ぬふりをして済ませてきたもの）を直視して、対応を探るべきだったし、それを自覚し、実践をはじめた人もいた。

しかし二〇一一年から二〇二一年の現在まで、十年という時間的距離は、それが大勢の態度にならなかったことを明らかにした。ここに観察できるのは、さらなる見て見ぬふりの進展であり、盲点の拡大にほかならない。その詳細は本書に収めた種々の議論に譲る。

以上をまとめると、国民国家の内と外との線を引く主体の確立（一八六九年）↓内と外との線の可視化（一八七九年）↓外へのコロナイゼーション↓（一九四五年）↓内へのコロナイゼーション↓（一九九五年）↓内と外との線の不可視化↓（二〇一一年）↓線を引く主体の消滅、という流れ、その上にある現代社会が足場を置く歴史的重層性が描ける。

二〇二一年現在は新型コロナ禍が続く最中にある。現時点でも先行きが不透明ななかで、さらに次、いかなる「私たちを新たな位相に跳躍させる」不条理が訪れるかは不可知だが、しかし、この「線を引く主体の消滅」の先を見据える視点を問われることになるだろう。

そこかしこにある向き合うべき問題を視界と社会の外へと排除し（たつもりになり）、固定化し、不可視化する。そうやって一見、表層的には何ら問題がないかのような状態、漂白された状態で社会を営む。このメカニズムの元に人びとは経済的に一定の満足をして自動的に、さらに政治的にも自発的に服従していく。この自動的かつ自発的な服従の構図が、近代化の（良き面も悪しき面も含めた）進展を支えている。ここにおいて国民国家の内と外との線を引く主体は終焉し、国民国家の〝内部にある外部〟の不可視化が進む構造が成立した。

1869年（戊辰戦争終結）
国民国家の内と外との線を引く主体の確立

1879年（琉球処分）
内と外との線の可視化

1895年（日清戦争終結）
内と外との線をさらに外側に移動

外へのコロナイゼーション

1945年（終戦）

内へのコロナイゼーション

1995年（阪神・淡路大震災、オウム事件、Windows95発売、WTO発足など）
内と外との線の不可視化

2011年（東日本大震災）

線を引く主体の消滅

メディアと社会的現実のゆがみ、国際秩序の変容、多様化＝分断の高度化……。その他、本書にその一部を取り上げてきた日本社会の盲点の多くは、残念ながら今後も盲点であり続けるだろう。私たちは問題を直視して向き合うことをせず、漂白し、棚上げし続けるだろう。

ただこのネガティブな事実を事実として受け止めることはペシミスティックであることとイコールではない。事実を事実として受け止めること、それ自体の困難さが不可逆的に深まり続ける時代のなかでは、そこにこそ事態を好転させる抜け道があるからだ。

「中道・知識・外部」の危機

もう一つ、ネガティブな事実を提示しよう。

既にはじまりつつある現実でもあるが、これからの日本社会に盲点をつくるのは、三つの言説構造の成立不可能性だ。これまでは成立し得た三つの何かが成り立たなくなる。それは、中道・知識・外部の三つのキーワードで表すことができる。どういうことか。

ここ二十年以上「知的」とされてきたクリシェ（常套句）をあげながら説明すると理解しやすいだろう。

たとえば「左でも右でもなく」という言い方は「知的」であるとされてきた。同種のものとして「健全な左（もしくは右）を再構築すべし」というような、左（もしくは右）の過剰な部分の切除や左右折衷のなかでの漸次的状況改善への提言もよくなされがちだった。いうまでもなく、これは冷戦構造下のイデオロギー対立、マルクス主義か否かという枠組みが社会のあらゆるものの根底に蔓延っていて言説もそこに規定されてしまっていた時代へのカウンターとして出てきたクリシェだ。そして、これは正しかった。

しかし、たとえば米国の社会心理学者、ジョナサン・ハイトが『社会はなぜ左と右にわかれるのか』で明らかにしたように、人は生物として「左」「右」と分類されてきたイデオロギーに囚われることからは逃れられない強い傾向をもっている。そもそも、そんな実証的な理論を持ち出すまでもなく、「安倍政治」をめぐって続けられてきた大衆的議論を見ても、米国の状況、中国をめぐる議論を見ても、マルクス主義があろうがなかろうが、社会は左と右（のようなもの）に分かれて低次元で対立する議論をすることが好きだし、そこを超えることはできない。それは二十年以上かけて明らかになったことであり、そこにおいて、「左でも右でもなく」「健全な左（もしくは右）を再構築すべし」といったようなクリシェを続けること自体が、その言明の空虚さを浮き彫りにし、あるいは、それ自体が左か右かに改めて回収され利用されてしまっている現実がある。この点は自覚されるべきだし、二十年以上続けてきたそれの次の段階を模索しなければならない。

ここにおいて改めて意識しなおすべきなのは「中道」をいかに確保できるかということだ。中道とは、仏教用語としての意味に立ち戻れば、単に間をとったり中立を装ったりすることではなく、極端同士の対立構造自体から超越することを指す。

現在、さまざまな言説が極端に偏り、単純化され、対立を前提に設えられている状況がある。背景には政治でのポピュリズムがあるのかもしれないし、メディアでのエコーチェンバー現象（一三三ページ参照）があるのかもしれないし、商品を売るにせよ人を動員するにせよ経済的にマスに訴求することが困難になっていることへの一つの対応策がそこにあるのかもしれない。いずれにせよ、極端で単純化された言説が「言説市場」の競争のなかで勝ち残りやすい状況はますます加速している。そして、これを留める要因は、情報化・グローバル化、デジタルトランスフォーメーション（DX）が進展するなかには見当たらない。この不可逆的な言説生産構造のなかで、言説の「中道」を保つことは容易ではない。

たとえば、一定の知見・価値観を共有していることなどを条件に付したクローズドなコミユニティを用意するなどのなかでそれは存在しうるが、それは常にカルト化するリスクと隣接するし、うまくいったらいったである種の貴族社会のようなものにならざるを得ない。そのような場を常に、誰しもに用意することが困難ななかで、中道が実現する場は社会から抹消され続けている。これから「中道をいく言説」はますます消えていくだろう。

「中道」と「知識」が失われれば、「外部」も消えていく

極端で単純化された言説、という点では、「わかりやすい、理解しやすい」ことへの批判も一つのクリシェの群を形成しているだろう。たとえば「わかりやすさに飛びつかず、わかりにくさのなかで悩むべきだ」とか「理解しやすくしすぎようとするマスメディアへの違和感がある」などと言明される。

これは、確かに正しい。だが事実として、情報過多のなかで不可逆的に「わかりやすい・理解しやすい」言説は増え続け、「わかりにくい・理解しにくい」言説が淘汰されていく。この動きは収まり得ない。「わかりにくさを楽しもう」といくら言っても、これ自体が一つのわかりやすい啓蒙主義的「上から目線」の態度と結びついていくことも確かであり、それが広く人びとを包摂しうることはない。

ここには、一方に「わかりやすさ・理解しやすさ」の拡大があり、他方に「わかりにくさ・理解しにくさを楽しもう」というニッチな「知的」趣味が存在する構図があるが、両者に共通するのは、「知識」が必要ない、ということだ。「知識」は、いうまでもなく「わかりやすさ・理解しやすさ」の加工を施された、つまり、極端化・単純化のなかで細部が削ぎ落とされた断片的な情報のことではない。「わかりにくさ・理解しにくさを楽しもう」などと唱えながら、実際にはわかり・理解することへのコミットを放棄した人びとが容易に得られるものでもない。

ここでいう「知識」とは、断片的な情報を体系的に組み合わせ、またその獲得に向けた意思と経験への意思が不可欠なものを指す(たとえば、何かのプロ・職人が熟練の過程で身につけるもののように)。そういった意味での「知識」を前提とした言説は成立し得なくなる。そうなれば、既に政治的・経済的資源を得ている人びとがもっているような〝予め獲得された立場〟が複雑な物事を決める主たる要因となるだろう。これは〝予め獲得された立場〟にある人びとだけが悪いのではない。それを構成するのは、それに対抗しうる「知識」を放棄した人びと、言説のダイナミズムが失われた世界に安住しようという人びとでもある。

たとえば、ここ十年の種々の議論を振り返っても、エネルギー政策や外交・安保、あるいは被災地復興政策を見るに、「知識」がなくても語れると思い込む者が議論をかき回すことがあっても、何か事態を動かしうる良い提案を生み出す場面に遭遇することはほとんどなかった。背景には、科学者などが独占してきた専門知の権威の喪失などいくつもの要因が存在するが、それを良しとしてきた世間があった。「知識」の不在を前提にする盲点だらけの議論の立て直しに、知識ある者がコストを払いながら付き合い、時に諦めざるを得なくなる構図はこれから他のテーマでも常態化して見られることになるだろう。

「中道」と「知識」が失われれば、必然的にその言説は「外部」を失っていく。外部とは、たとえば、社会的弱者の存在だ。ドナルド・トランプが抑圧したとされる人種・民族・ジェンダーなどにおけるマイノリティはわかりやすい社会的弱者だが、トランプを支持したとされるラストベルトなどに暮らす白人低所得層もまた、自分たちは地位を不当に脅かされ、存在を無視され抑圧を受け、社会的弱者とされる人以上に冷遇されているという自覚をもっているのも確かだ。両者のいずれに正義があるかという話はされがちだが、まず確認すべき事実は、互いに苦しんでおり、互いに他人の苦しみはわからない関係にもあるということだ。自分がいて、それ以外＝外部がある。この外部への想像力を働かせるためには、中道や知識が必要だが、それがなければ、内部＝自分の論理だけが繰り返され続け、内部から外に出ることは困難になる。

本来、マスメディアなどにこの「外部」を想像させる言説を生産する機能が求められるべきところだが、そううまく機能している場面よりは、むしろ内部＝自分の立ち位置からの論理を強化するような議論が目立っていて、「マスゴミ」などと揶揄され続ける状況に改善の余地は見えそうにない。誰もが外部を意識する機会を取り戻すことに目を向けず、内部の信念を強化するような言説ばかりがまかり通る状況はより深まっていくだろう。


以上が中道・知識・外部、三つの言説構造の成立の不可能性についてだ。困難な未来が待っているのは確かだ。

しかし、繰り返しになるが、まずはこの事実を事実として受け止めることにこそ、事態を好転させる端緒がある。日本社会の未来は私たちの手のなかにある。

＊＊＊

まえがきでも述べたが、本書は月刊誌『Ｖｏｉｃｅ』（ＰＨＰ研究所）での連載「ニッポン新潮流・現代社会」の論考をまとめたものだ。二〇一七年から現在に至った連載は、前編集長の永田貴之さん、前担当編集者の大隅元さんのもとではじまり、現編集長であり担当編集者である水島隆介さん、書籍担当編集者の西村健さんのもとで書籍化することができた。その他関係者の方々含め、（この手の連載としては長いと聞く）四年以上にわたって執筆を支えて頂いたこと、感謝にたえない。この時代において、出版不況はじめ難しいところもあろうなかで、中道・知識・外部を探ることを忘れぬ編集方針を一貫してきた貴重な『Ｖｏｉｃｅ』の誌面に、言葉を発し続ける場を頂けたことは僥倖（ぎょうこう）だった。

３・11があり、政権交代、特定秘密保護法、安保法制といったトピックを巡る熱狂が一巡した後に、長期政権への倦怠感（けんたいかん）とＡＩ・ＤＸや東京オリンピック・パラリンピックという未来への期待とがふんわりと世を覆うのがちょうど連載の時期に重なっていたんだと、いま改めて振り返れば、思う。嵐と嵐の間の静けさといってもいいこの時期は、現代社会の内実を繊細に記述するのには絶好の機会だったのかもしれない。表面的な騒ぎにいちいち気を取られることなく、私も、あるいは読者も、ゆっくりと普遍的・総体的に思考をする前提があったのだから。

いま、３・11を経て、新型コロナ禍を経て、その先に広がる未来がいかなるものになるのか見通しは立ちにくい。いずれ、3・11や新型コロナ禍と同様か、それ以上に大変な危機が社会を襲うことも必ずある。目の前で何かが起こるたび、安易に「前代未聞だ」「こんな悲劇はこれまでもこれからも起こりえない一大事だ」と騒ぎたてること自体を目的とした言説が跋扈（ばっこ）するが、大切なのは、必ず来る次の何かにいかに備えるかということだ。

　本書で展開した議論が、いつか誰かにとって、見通しの悪い未来への道を進む上で先行きを照らす明かりになれば望外の喜びである。

開沼　博

二〇二一年一月二十日

PHP新書

PHP INTERFACE
https://www.php.co.jp/

開沼 博［かいぬま・ひろし］

1984年福島県いわき市生まれ。立命館大学衣笠総合研究機構准教授。東京大学文学部卒。同大学院学際情報学府博士課程単位取得満期退学。専攻は社会学。

著書に、毎日出版文化賞、エネルギーフォーラム特別賞を受賞した『「フクシマ」論 原子力ムラはなぜ生まれたのか』（青土社）のほか、『はじめての福島学』（イースト・プレス）、『漂白される社会』（ダイヤモンド社）、『フクシマの正義 「日本の変わらなさ」との闘い』（幻冬舎）、『福島第一原発廃炉図鑑』（編著、太田出版）など。

日本の盲点

PHP新書 1247

二〇二一年三月二日 第一版第一刷

著者——開沼 博
発行者——後藤淳一
発行所——株式会社PHP研究所
東京本部——〒135-8137 江東区豊洲5-6-52
第一制作部 ☎03-3520-9615（編集）
普及部 ☎03-3520-9630（販売）
京都本部——〒601-8411 京都市南区西九条北ノ内町11
組版——アイムデザイン株式会社
装幀者——芦澤泰偉＋児崎雅淑
印刷所 製本所——図書印刷株式会社

ISBN978-4-569-84855-6

ＰＨＰ新書刊行にあたって

「繁栄を通じて平和と幸福を」（PEACE and HAPPINESS through PROSPERITY）の願いのもと、ＰＨＰ研究所が創設されて今年で五十周年を迎えます。その歩みは、日本人が先の戦争を乗り越え、並々ならぬ努力を続けて、今日の繁栄を築き上げてきた軌跡に重なります。

しかし、平和で豊かな生活を手にした現在、多くの日本人は、自分が何のために生きているのか、どのように生きていきたいのかを、見失いつつあるように思われます。そして、その間にも、日本国内や世界のみならず地球規模での大きな変化が日々生起し、解決すべき問題となって私たちのもとに押し寄せてきます。

このような時代に人生の確かな価値を見出し、生きる喜びに満ちあふれた社会を実現するために、いま何が求められているのでしょうか。それは、先達が培ってきた知恵を紡ぎ直すこと、その上で自分たち一人一人がおかれた現実と進むべき未来について丹念に考えていくこと以外にはありません。

その営みは、単なる知識に終わらない深い思索へ、そしてよく生きるための哲学への旅でもあります。弊所が創設五十周年を迎えましたのを機に、ＰＨＰ新書を創刊し、この新たな旅を読者と共に歩んでいきたいと思っています。多くの読者の共感と支援を心よりお願いいたします。

一九九六年十月

ＰＨＰ研究所